EL CASAMIENTO DE LAUCHA

CHAMIJO

EL FALSO INCA

ROBERTO J. PAYRÓ

EL CASAMIENTO DE LAUCHA

CHAMIJO
EL FALSO INCA

NOVENA EDICIÓN

EDITORIAL LOSADA, S. A.
BUENOS AIRES

Edición expresamente autorizada para la
BIBLIOTECA CLÁSICA Y CONTEMPORÁNEA

Queda hecho el depósito que marca la ley 11.723

*Marca y características gráficas registradas
en la Oficina de Patentes y Marcas de la Nación*

Novena edición: 31 - I - 1974

Ilustró la cubierta
SILVIO BALDESSARI

*IMPRESO EN LA ARGENTINA
PRINTED IN ARGENTINA*

Se terminó de imprimir el día
31 de enero de 1974 en los
talleres de AMÉRICALEE S. R. L.
Tucumán 353, Buenos Aires.

La edición consta
de diez mil ejemplares.

EL CASAMIENTO DE LAUCHA

El nombre de Laucha —apodo y no apellido— le sentaba a las mil maravillas.

Era pequeñito, delgado, receloso, móvil; la boca parecía un hociquillo orlado de poco y rígido bigote; los ojos negros, como cuentas de azabache, algo saltones, sin blanco casi, añadían a la semejanza, completada por la cara angostita, la frente fugitiva y estrecha, el cabello descolorido, arratonado...

Laucha era, por otra parte, su único nombre posible. Laucha le llamaron cuando niño en la provincia del interior donde nació; Laucha comenzaron a apodarle después, allí donde lo llevó la suerte de su vida, desde temprano aventurera; por Laucha se le conoció en Buenos Aires, llegado apenas, sin que a nadie se pudiese atribuir la invención del sobrenombre, y Laucha le han dicho grandes y pequeños durante un período de treinta y un años, desde que cumplió los cinco, hasta que murió a los treinta y seis...

De sus mismos labios oí la narración de la aventura culminante de su vida y, en estas páginas, me he esforzado por reproducirla tal como se la escuché. Desgraciadamente, Laucha ya no está aquí para corregirme si incurro en error pero puedo afirmar que no me aparto de la verdad muchos centímetros.

I

Pues, señor, después de andar unos años por Tucumán, Salta, Jujuy y Santiago, ganándome la vida perra como Dios me daba a entender, unas veces de bolichero, otras de mercachifle, de repente de peón, de repente de maestro de escuela, aquí en un pueblo, allí en una ciudad, allá en una estancia, más allá en un ingenio, siempre pobre, siempre rotoso, algunos días con hambre, todos los días sin plata, comencé por fin a temar con que puede ser que me fuera mejor en Buenos Aires, en donde nunca me podría ir peor, porque esas provincias nunca son buenas para hombres así como yo, sin un peso, ni mucha letra menuda, ni mucha fuerza... ni muchas ganas de trabajar tampoco... Y tanto temé, que al fin resolví largarme y principié a hacer economías de a centavo —¡yo que nunca había juntado plata!— hasta que reuní todo lo que necesitaba para el viaje... lo preciso y nada más.

No he de contar los milagros y otras vivezas que tuve que hacer para juntar la platita: ya se lo imaginarán, y de no, poco importa. El caso es que un día me acomodé en el tren —¡claro que en segunda, porque no había boleto de perro!—, llegué hasta Córdoba, subí al Central Argentino, y en Rosario me embarqué para Campana en el vapor de la carrera, porque la cosa salía más barata... Campana era entonces el puerto de salida y de llegada de los vapores del Paraná, y ahí mismo se tomaba el tren para Buenos Aires.

Desembarqué con mi equipaje, que era un poncho grueso de lana, criollo, de los tejidos a mano, muy lleno de colorinchos, y que le había ganado a la taba a un peón catamarqueño en Tucumán: se lo había hecho la mujer que sé yo en qué punta de años...

¡Ah! ya había volado hasta el último cobre en las comidas y copetines del viaje; así es que me encontré en Campana con que para seguir a Buenos Aires tenía que empeñar o vender alguna prenda... y a no ser el poncho... Creerán que esto no tiene nada que ver con mi casamiento; pero esperen un poco... La miseria, como buena vieja brava, hace con el hombre lo que se le antoja... A mí me hizo llegar hasta el casorio; ya verán...

II

Bueno, pues, anduve de tienda en tienda queriendo vender el poncho y sacar boleto con la platita, pero sin suerte porque no encontraba ningún aficionado.

—Esos ponchos no se usan por acá —me decía uno.

—Ya tengo demasiados ponchos —me decía otro.

—No compro ropa usada —me gritó furioso un tendero gallego que no tenía más que clavos del tiempo de ñaupa.

Por fin un bolichero me dio por él cuatro nacionales —y digo nacionales porque ya habían cambiado la moneda argentina (bolivianos o pesos del carnerito), tan linda y tan rendidora.

El boleto de segunda de Campana a Buenos Aires valía entonces alrededor de peso y medio o dos pesos, y no como ahora que cobran cerca de cinco. Así es que yo estaba bien, al fin y al cabo, gracias al ponchito catamarqueño... Pero mi maldita suerte, que no me va a dejar en la pucha vida, quiso que mientras andaba entretenido en el cambalache del poncho, el tren se mandara mudar sin esperarme... ya ven, no tenía reloj, y aunque tuviera no me iba a ir sin boleto y sin plata.

Lo peor es que para ese tiempo no había más que un tren al día, y me tuve que quedar en Campana, y comer y dormir en un bodegón y posada en que sabían parar los reseros que llevaban hacienda para el saladero, que después se hizo frigorífico. La historia me costó peso y medio, así es que me quedé tecleando. ¡Miren qué polaina!

A la noche anduve ronciando la mesa de los reseros que despuntaban el vicio al mus. Los ojos se me iban, pero jugaban muy fuerte, cinco pesos la caja... ¡Figúrense!, yo no iba a pedir media caja, está claro... Me quedé con las ganas y me fui a dormir.

Al otro día me clavé en la estación media hora antes que el tren... y no lo perdí esa vez. Pero ¡vean si no me sobra razón para hablar de mi suerte perra! Bajé en una estación para tomar una copa, y cuando acordé el tren iba pita que te pita, ¡a cinco cuadras!

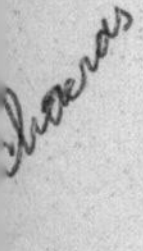

No, no se me rían: no estaba ni alegrón siquiera, aunque otro pasajero llevaba un frasco de ginebra marca Llave (que no es como la de ahora) y de vez en cuando me convidara a pegarle un beso... ¡Bueno, bueno!; sea como sea, el caso es que me quedé en la estación Benavídez, que tenía, ¡qué iba a tener!, ni sombra de los pobladores que tiene hoy. Volví bastante tristón a la pulpería de frente al tren, donde había estado antes, y que era un boliche con cuatro botellas locas, un queso viejo del país, un pedazo de dulce de membrillo amohosado, y media docena de salchichones entre una pila de cajas de sardinas...

Me puse a conversar con el pulpero, y al rato éramos amigotes. Lo convidé con una copa —porque todavía me quedaban unos centavos—, y cuando le hablé de lo pobre y apurado que estaba, me dijo que por las chacras de ahí cerca andaban necesitando peones para el maíz y que era fácil que me conchabaran si no era muy mulita y no me rendía de estarme al sol el día en peso. Yo, la verdad, no he nacido sino para trabajos de escritorio, de esos de no hacer nada, sentadito a la sombra; pero la necesidad tiene cara de hereje, y ese mismo día me conchabé con un chacarero que, del partido de las Conchas, donde está la estación Benavídez, me llevó para el Pilar, a recoger maíz.

¡Qué quieren! A los dos días ya no podía más, charqueado por el sol, y trasijado por el trabajo bruto. Le cobré dos jornales al chacarero, que me raboneó unos cuantos centavos como buen gringo, me largué a Belén, que estaba cerquita, a buscar otro acomodo más conveniente, y ahí fue donde empezó el baile... o donde siguió, porque ya hacía rato que había principiado...

No hice huesos viejos en Belén. Antes de la semana ya me había ido sin rumbo, y seguí de pueblo en pueblo y de chacra en estancia, alejándome cada vez más de Buenos Aires, como si en mi perra vida hubiera pensado ver a los porteños. Válgale a la suerte que juega con el hombre como el viento con la paja voladora.

III

Una mañanita que estaba en una esquina, muy lejos para el suroeste, matando el bicho con una poca de caña paraguaya, me puse a conversarle al patrón, porque yo era el único marchante y él se aburría como yo, del otro lado de la reja, medio echado de barriga sobre el mostrador y con la cara muerta de sueño entre las manos. Yo andaba otra vez sin trabajo y con poquitos cobres en el bolsillo... Es que no me puedo conformar con que me manden, ni con echar los bofes como una mula...

—¿Para dónde va ese camino? —le pregunté entre otras cosas al pulpero, mostrándole con la zurda, en la otra tenía el vaso— una huella que agarraba para el sur.

—A Pago Chico. Esa huella sigue derechito como unas seis leguas, y va a dar a la misma estación del ferrocarril del Pago...

Yo había oído las mentas de ese partido, y me entraron ganas de ir, por puro gusto: al fin y al cabo, lo mismo era trabajar allí que en cualquier otra parte, y el mismo gusto tiene una copa de ginebra legítima. Pero como no tenía caballo ni de dónde sacarlo, y seis leguas a pie son mucha música, le pregunté al pulpero si no caería alguna carreta o algún carro que me llevara.

—No amigo —me contestó—: esas huellas son de las tropas que pasaban antes con lana para Buenos Aires; pero desde hace un año ya no andan, porque todo se lo lleva el tren.

—¡Caramba, amigo, qué lástima!

—¡Mire, qué casualidad! —siguió el pulpero al ratito—. ¡No me acordaba, hombre! Tiene suerte, porque hoy mismo, y cuando más mañana, va a venir la jardinera del almacén del pueblo que trae el surtido para todas las esquinas del camino al Pago, y para mi casa también.

—¿Y de ahí?

—El repartidor lo llevará, si se le hace amigo.

—¡Oh, y cómo no! Lo voy a esperar no más, porque de veras que tengo muchas ganas de conocer Pago Chico. Es un pueblo grande, ¿no?

—Bastante.

—¿Y tiene escritorios y tiendas?

—¡Ya lo creo!

—¡Magnífico!

Y me quedé tomando una que otra copita con el pulpero que era un buen gallego acriollado, hasta que a eso de las diez de la mañana, apareció sobre un albardón una manchita negra que iba agrandándose despacio entre el verde del campo.

—¿Ve eso? —me preguntó el pulpero—. ¿Y sabe lo que es?

—¡Sí, la jardinera! La cuestión será que me quiera llevar el almacenero...

—Por eso pierda cuidado, porque es un muchacho bueno y servicial, y a más, si usted sabe ganarle el lado de las casas, hará lo que quiera con él...

Con esta seguridad, y aunque me quedara tecleando la platita, le compré provisiones para el viaje, salchichón, queso, galleta, cigarros, fósforos, y... nada más... Aunque también me parece que le pedí dos cuartas de vino carlón...

Llegó el repartidor del almacén, y después de unas

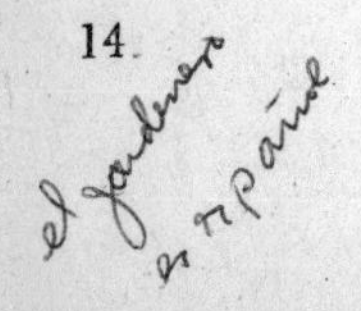

cuantas copas y un poco de jarana, no tuvo inconveniente en llevarme, como me había dicho el pulpero.

El hombre era conversador, yo nunca he sido manco; así es que la charla empezó en cuanto salimos de la pulpería... eso sin contar el aperital de adentro...

Volvía de vacío, los caballos eran buenos, oscurecía tarde, y de consiguiente podíamos llegar ese mismo día a Pago Chico.

Le conté mi vida; él me contó la suya desde que vino de España: siempre detrás del mostrador, sin salir ni los días de su santo, hasta que lo hicieron repartidor, y andaba como bola sin manija, trotando en la jardinera, y tardándose dos y tres días para volver al Pago. Cuando le hablé que buscaba conchabo, me dijo:

—Si usted quiere trabajar sin deslomarse, ya sé lo que le conviene. Lo dejaré a una legua de Pago Chico, en la pulpería de doña Carolina, que allí encontrará en qué pichulear algo.

—¡Magnífico, amigo! Yo para todo estoy pronto, en tratándose de trabajar, y más cuando ya casi no me queda ni un centavo, como ahora...

—Entonces, doña Carolina anda buscando un dependiente que le convenga... Pero es muy delicada, y una punta han tenido que volverse sin que los tomase... Por eso ahora ya nadie va. En fin: de todos modos, usted encontrará trabajo, porque ahí cerquita está el campo de los Torres y siempre necesitan peones.

Almorzamos, sin dejar el trote y galope; yo pesqué un rato despertándome con los barquinazos; volvimos a charlar, a [illegible], a tomar unos traguitos; por fin, a la tardecita llegamos al destino de que hablara el hombre y nos apeamos.

IV

La casa era bastante grandecita, con negocio de almacén, tienda, y un poco de ferretería. Tenía también un despacho de bebidas, con gran reja de fierro adelante del mostradorcito, y sin mesas, ni bancos, ni menos sillas, para que el paisanaje y el gringaje, no teniendo en qué sentarse, se largara en cuantito tomaba la tarde o la mañana.

Entramos a la ramada, y del otro lado de la reja se nos apareció una mujer de más de treinta años —después supe que tenía treinta y cuatro—, bastante buena moza todavía, alta, muy blanca, de pelo negro y ojos oscuros. Cuando nos contestó las buenas tardes, conocí que era italiana.

—Doña Carolina —le dijo el repartidor—, aquí le traigo un forastero que anda medio en desgracia, y como el hombre busca trabajo, yo le he dicho que aquí puede ser que encuentre. ¿Qué le parece?

—Sí —contestó la mujer, mirándome con atención—; si se queda por acá, luego o mañana no más, han de venir del establecimiento de Torres... Lo pueden conchabar...

—Y usted, doña Carolina, ¿por qué no lo toma de dependiente? Es mozo vivo y capaz de ayudarla.

—¡Oh, yo! —dijo la gringa, suspirando— ya no pienso en eso. Se me ha ido la idea.

—No importa —le dije—; me quedaré a esperar a los de Torres. Y, de mientras, sírvanos dos vasos de vino que sea bueno, que estoy galgueando de sed, y este compañero no le digo nada.

Tomamos el vino, que era bastante ri[illegible] y el r[illegible]rtidor se despidió porque tenía apuro de lle[illegible] al [illegible]blo. Yo me quedé a la espera, mirando la ca[illegible]urtido, [illegible] matar el tiempo. El almacén estaba regularci[illegible]tante, con muchas bebidas, latas de conservas e[illegible] y dulce de salchichones y tocino colgados del tech[illegible] membrillo en una vidriera, junto con masas de facturería, caramelos largos, pan viejo y galleta.

Había también cosas de ferretería, frenos, facones, cuchillos, tijeras de esquilar, hachas, lebrillos y cacerolas y una punta de chirimbolos, pero del otro lado de la reja, lo mismo que las cosas de tienda, bramante, zaraza, coletá, ponchos, camisetas, pañoletas, calzoncillos, chiripás, hilo, canutillo, pañuelos de seda celestes y colorados, y qué sé yo qué más.

La casa era un galpón grande con techo de fierro, y al fondo tenía un cuartito que me pareció el dormitorio de doña Carolina. Afuera, a unas diez varas y como cuadrando la especie de patio de tierra pisoteada, que quedaba entre la ramada y el palenque, había otro galpón más chico, pelado sin otra cosa que un fogón en el medio, hecho con una llanta de carro y lleno de cenizas: no había cama, ni en qué sentarse, pero era la *comodidad* de los forasteros que se quedaban a dormir en el negocio. Eso no es nada para cualquier hombre de campo, que arma cama con el recado; pero yo, sin más que lo puesto, ni una pilcha para abrigo, lo iba a pasar muy mal si no llegaban a tiempo los de Torres...

Me llamó muchísimo la atención no ver a nadie más que a doña Carolina, ni en las casas, ni en el galpón, ni por ahí cerca. Los animales que andaban en un pastizal medio alambrado, eran cinco o seis guachitos y un overo rosado que, por la pinta, debía ser viejo y manso y de la silla de doña Carolina.

Afuera de la ramada había colgado un cuarto de carne, y una nube de moscas revoloteaban alrededor, mientras que otras, paradas, estaban acresándolo. Pero de balde miré a todos lados a ver si había gente: no vi a nadie.

—¿Cómo puede vivir esta pobre mujer, en tanta soledad? —pensé—. Los perros no bastan para cuidarla, porque cualquier malevo los achura, y después a ella, y le roba hasta la última hilacha... ¡Se necesita ser guapa!... Sólo que la gente haya ido al pueblo...

Ya me empezaba a interesar la gringa; así es que me volví a las casas y le pregunté:

·Perdone, misia Carolina; pero, ¿usted está sola aquí, en esta casa?

—Sí —me contestó—; no somos más que yo y un viejito que está ahí, en el bajo del arroyo, cuidando los chanchos. Es el que me ayuda un poco.

—¡Caramba, señora! ¿Y no tiene miedo de vivir tan retirada del pueblo, en esta soledad? Porque el viejo poco ha de servir para compaña...

—¡Así es, el pobre está muy viejo!... Y aunque yo tengo una escopeta, y soy capaz de usarla, a veces me da miedo... Por eso pensaba tomar alguno para que me acompañara y me ayudase a despachar... ¡pero, qué quiere!

Al decir esto, me miró muy seria, muy atenta, y después se quedó callada.

—¿Y por qué no lo ha hecho? —le pregunté por fin.

—¡Eh!, ¡por qué!, ¡por qué!... Porque los que querían conchabarse no me convenían... y como no puedo pagar más de quince pesos al mes... Por ese sueldo hoy no se acomodan nada más que los que no sirven, aunque se les dé casa y comida...

Yo, entonces, medio serio, medio riéndome, le dije:

—¿Y yo también soy de los que no sirven?

—¡Oh!, ¡usted no! —me contestó mirándome a los ojos.

—¿Y entonces?, ¿no le dijo mi amigo el repartidor?...

—Sí; son cosas que se dicen, y después...

—Pues mire, señora, lo que es yo, trabajaría con usted, no digo por esa plata... hasta por mucho menos... Estoy cansado de andar rodando... Lo que tiene, que no traigo recomendaciones... ni tengo en el Pago más conocido que el repartidor...

Doña Carolina me volvió a mirar un rato, sin abrir la boca, como para verme las intenciones en la cara. Yo no soy un buen mozo, ya lo sé; pero tengo algo, algo que me hace simpático, sobre todo a las mujeres. ¿Se ríen? ¡Oh!... pues si yo les contara... El caso es que a doña

Carolina le debí parecer buen muchacho, porque en seguida me dijo:

—Si fuera sólo por eso de las recomendaciones, no importaría, porque usted no tiene laya de ser mala persona, ¡al contrario!... Pero, ¡qué ha de querer una colocación así, cuando hasta de peón puede ganar dos o tres pesos diarios, cuando menos!

Le conté entonces que yo era más pueblero que hombre de campo, y que no me gustaba trabajar al viento y al sol, como tenía que hacerlo para no morirme de hambre desde que principié a andar en la mala y perdí lo poco mío que tenía. Le dije que me quitaron un empleito en Buenos Aires, por intrigas de un compañero traidor que me quería sustituir; que después anduve por las provincias del interior, corriendo tierras y buscando la suerte, pero que todo me salió mal hasta que tuve que volverme con una mano atrás y otra adelante. En fin, le hice un cuento de los que no se empardan, y ella me escuchaba con mucho interés y atención: hasta me parece que lagrimeó un poco...

En esto entraron unos carreros a tomar la copa y yo me salí para el patio.

Los carreros andaban apurados y se fueron en seguida. Doña Carolina me chistó:

—Bueno —me dijo—; si quiere, quédese aquí unos días para probar...

—¡Qué probar ni qué probar! ¡Si me quedo aquí, será para toda la vida! —dije entusiasmado.

—¡Quién sabe!... En fin, le pagaré por ahora los quince pesos, y después... si los negocios andan bien, veremos... Le daré un poco de ropa, tiene la comida asegurada, y puede dormir en el galpón, que yo le prestaré unas jergas para blandura y un ponchito para que se tape.

Ahí no más cepillé un gato de puro contento.

V

Cuando volví a salir al patio ya era casi de noche, y me encontré al viejo de los chanchos que había vuelto al entrarse el sol. Estaba pitando un cigarro negro, sentado en una cabeza de vaca, a la puerta del galpón, por la que se veían las llamaradas de una fogata de leña y un humazo terrible que no dejaba divisar las paredes.

—¿Tomando el fresco, paisano? —le pregunté, para entrar en conversación.

—Ansina mismo es, don —me contestó—; demientras se caliente l'agua y medio si asa el churrasco. ¿Quiere dentrar y prenderle a un verde?

—Con mucho gusto, amigo don...

—Cipriano, p'a servirlo —añadió el viejo, que se sacó el pucho negro de la boca, mirándolo y remirándolo, como con pena de que se le acabara tan pronto.

Entramos en el galpón. Al lado del fuego, que ardía con grandes llamas y chisporroteo de leña verde, echando un humo espeso y agrio que hacía lagrimear, hervía una inmensa pava, negra de hollín; al lado estaba la enorme yerbera cuadrada, de palo, mediada de yerba parnanguá, entre la que se asentaba el mate, una galleta muy bien retobada con vejiga. Al calor de la llama se iba asando un pedazo de carne de la que vi colgada, y ahí no más, cerquita, el porrón de la salmuera. El viejo era amigo de su comodidad. Entró la cabeza de vaca, yo me senté en otra, y comenzamos a matear y a menearle taba.

—¿Y p'ande va, amigo? —me preguntó don Cipriano, brindándome un amargo—. Porque usted no es del Pago, ¿no?

—No; no soy del Pago, pero voy a ser —le dije.

—¡Ajá, está bueno! ¿Y ande piensa trabajar?... si me permite la pregunta.

—Aquí mismo. Me quedo a ayudar a la patrona.

—¡Bien haiga! Falta le hacía a la pobrecita, dende que murió el finao, aura hará un año p'a la yerra... La mujer no ha di andar sola, dispués de haber tirao en yunta... Solita, se hace mañera, y no sirve ni p'a noria.

Al principio no entendí bien lo que me quería decir el viejo, pero la agachada era demasiado clara, para que al fin no cayese en cuenta. Refregándome los ojos que me ardían con el humo, le dije con retintín...

—¡Sola!... tan sola no vivía, desde que estaba con usted.

—Se mi hace que l'incomoda la humadera, amigo, y que ya no ve lo maceta que mi han puesto los años... Y cómo serán cuando tuavía no gastábamos más leña que la de oveja, ni pitábamos más que naco o cuerda, y yo era viejón y duro de coyunturas... No friegue, pues, mocito.

Yo me eché a reír. El viejo, después de estarse callado un rato, siguió con los cuentos de la patrona.

—Dende que murió el finau, que Dios tenga en gloria, doña Carolina anda como pan que no se vende. A esa moza —porqu'es moza tuavía— le falta algo, ¡claro está! Y la verdá, que aunqu'es trabajadora y se levanta al alba, la esquina suele ser de mucho trajín p'a ella sola, pobrecita...

Chupó tranquilamente el mate, y después siguió:

—Y es buenaza la patroncita... Cuando vivía el finau, todo era mimos y comiditas... Aura rejunta cuanto guacho encuentra y los trata como a hijos... A mí, a su lado no me falta nada, y eso que soy un viejo deslomao que no vale ni una sé di agua... Y hace mucha caridá, y no hay rancho, de pobre por ahí cerca, en que no la quieran como al pan bendito...

—Me alegro de tener una patrona así —le dije—; de ese modo me voy a quedar aquí toda la vida.

Me miró con risita fregona, y después de un rato agregó, mientras encendía un candil de sebo de carnero:

—¡Mire!... usté, lo que debe hacer, mocito, es indilgársele derecho viejo, y ronciarla de lo lindo, pero sin faltarle, eso sí... Usté no me parece lerdo, más que

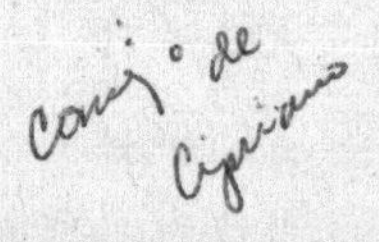

para lo que sea cosa'e sudar, y ella, la pobre, necesita compaña... Óigale a este viejo que no ha visto al ñudo tanta madrugada, y siga su mal consejo, que le ha d'ir bien... Y aura, vamos a tender el asador y a echarle la salmuera p'a que acabe di asarse al rescoldito... ¡Ya verá qué churrasco! También ya no sirvo p'a otra cosa.

Saqué el cuchillo y busqué dónde afilarlo, pensando en lo que me había dicho el viejo ño Cipriano, que no dejó de interesarme mucho. La verdad que allí podían acabar mis penurias, sin hacer mal a nadie, y principiar una vida tranquila y honrada, con una buena mujer, unos pesos siempre listos en el bolsillo, trabajo descansado y divertido, una copita cuando se me antojara, comida abundante, cama blanda...

—A naides ha querido conchabar de todos los que han venido a ofrecerse —dijo ño Cipriano—. Y si lo ha tomado a usté, es porque ya tiene más de la mitá del camino andau. ¡Arriejesé sin miedo, mozo!

Le iba a contestar, cuando oí que doña Carolina me llamaba desde la ramada:

—¡Eh!, joven, ¡eh! Venga aquí, haga el favor.

Todavía no le había dicho mi nombre.

Salí y fui a la ramada.

—¡No! —gritó doña Carolina—. Entre nomás por el patio, que los dos vamos a comer aquí adentro, en esta mesa.

Había puesto un mantel limpito, dos cubiertos, una pila de platos, pan con grasa, queso fresco, una caja de sardinas abiertas, y un gran platazo de nueces y pasas.

—Aquí se come a lo pobre, y usté dispensará porque no hay cómo hacer muchas cosas.

—¡No diga, señora! —le contesté—. Si viera los gofios que he comido todo este tiempo, y el maíz cocido de las provincias del norte, no pensaría eso. Muchos días me lo he pasado con una galleta y un traguito de aguardiente, y otros, sin galleta...

—¡Pobre mozo! —dijo doña Carolina, que se había

Como con Carolina

puesto tristona, y medio lagrimeaba, como yo en el galpón con el humo—. Pero ahora, siempre tendrá lo más preciso; porque aquí, gracias a Dios, nunca falta qué comer...

Y aquella noche, al menos, era verdad, porque comimos sopa de fideos, las sardinas, una ensalada de carne, asado, el queso, las pasas y nueces, y qué sé yo, hasta que tuve que decir que no quería más, al servirme la segunda botella del vino que habíamos probado con el repartidor...

¿A qué contarles la conversación mientras cenamos, ni lo alegre que me acosté, ni lo bien que dormí esa noche en un montón de bajeras y cueros de carnero bien lavados y blandísimos... ¡y hasta con sábanas!

VI

Me levanté al alba, agarré una escoba y me puse a barrer la ramada y el corredor de la casa, porque misia Carolina todavía estaba durmiendo encerrada adentro.

De repente se me apareció, me quitó la escoba de las manos, como si estuviese muy enojada, y me dijo:

—¡No quiero que haga eso! Más bien entre al negocio; arrégleme las bebidas y después... ¿Sabe escribir?

—¿Cómo no, señora? Y tengo bastante linda letra.

—Bueno, me alegro. Entonces, me va a poner en limpio la libreta de cuentas.

—Perfectamente, señora: yo haré todo lo que me mande. Pero tampoco me incomoda lo de barrer; así es que si usted quiere puedo hacer las tres cosas, porque las mañanas son muy largas todavía.

—¡No, no! Vaya al negocio nomás; yo le iré a ayudar en seguida.

¿Eh?, ¿qué tal?, ¿qué me dicen? Me parece que los primeros golpes estaban bien dados, ¿eh?

Entré al almacén, tomé mi mañana, más abundante

y mejor que de costumbre, y me puse a arreglar las botellas, que en su mayor parte eran falsificadas en la licorería de Pago Chico y unas mixturas asquerosas. Al ver esto, se me ocurrió una invención que debía dar muy buenos resultados. Cuando acabé con las botellas busqué una libreta nueva, y principié a copiar la vieja toda ajada y mugrienta de tanto manoseo, llena de garabatos, rayas y borrones. Escribí que era un primor, y ya estaba acabando cuando entró misia Carolina, que se quedó embobada al ver mi trabajo y me miró con admiración, casi con susto de que me le fuera a ir. Para admirarla todavía más, le dije sobre el pucho:

—¿Sabe, señora, lo que se me ha ocurrido? Que, como yo sé fabricar coñá, hacer dos cuarterolas de vino de una sola, falsificar el biter, el ajenjo, el anís, y todo lo demás, lo mismo que mixturar la yerba buena con la mala sin que se conozca, podemos hacer aquí todas esas cosas. Usté ganaría muchísimo más que ahora, que está regalando la platita al licorero falsificador de Pago Chico.

Misia Carolina abrió tamaños ojos, se rio un poquito, pero no consintió en seguida.

—¡Eso es tan difícil! ¡Se necesitan tantas cosas!

—No crea, señora; con poco se hace.

—No importa; por ahora, no; después veremos. ¡Hay tiempo!

Pero yo ya le había ganado la voluntad, y medio se me recostó en el hombro, para volver a ver la primorosa libreta.

Tan bien iban las cosas, que esa mañana el almuerzo fue mejor todavía que la cena de la noche antes, porque además de puchero, hubo gallina con arroz, tortilla, mazamorra con leche y dulce de membrillo. La patrona echaba el resto o poco menos.

Entonces principié la vida gorda, las grandes charlas y beberaje con los marchantes, las jugadas al mus, al truco y a la taba, las payadas y guitarreos, los viajes de todo un día, hasta el Pago, en el overo macet?

–Diviértase, diviértase nomás –decía misia Carolina–, que para eso es joven; y mientras no me falta al trabajo...

La verdad es que la gringa no hablaba del todo así, como he dicho. Se conocía que era italiana, y decía *coven, trabaco*... Pero eso no le hace. Al fin yo me divertía y gozaba sin tener que pensar en nada. ¿Qué importa la habla entonces? Yo también suelo ser fino cuando quiero –¡oh!, ¿y de no?–, pero me gusta que todos me entiendan...

Bueno, pues: como las cosas iban tan bien, me le animé a la gringa. Ya hacía tiempo que la andaba pastoreando para eso, pero no hallaba cómo principiar la declaración y me daba miedo de pegar una rodada... En fin, aquella tardecita me dije: "Amigo Laucha" (yo también me he acostumbrado a lo de Laucha), "amigo Laucha, lo que es de esta hecha, que no se te escape". Y así fue nomás...

Cuando ya estábamos acabando de comer, le busqué la vuelta y le dije:

—Conque desde que enviudó, misia Carolina, ha estado solita... ¿solita y su alma?

Le hablé con la voz tembleque y mirándola medio al soslayo.

—¡Hace más de un año! —y suspiró la gringa.

Yo aproveché la bolada:

—¡Qué lástima, tan joven! —y en seguida le soplé más despacito: —¡Y tan hermosa!

A la verdad, doña Carolina no tenía entonces nada de fea, y era grande y gorda, como a mí me gustan, puede ser por lo que soy así flacón y bajito.

—¡Qué quiere!, ¡así son las cosas de la vida! —dijo suspirando otra vez, y como si no hubiese oído el piropo—. Y sola y mi alma me he de morir, porque ¿quién me va a querar a mí, vieja y fea como soy?...

La gringa había esperado para retrucarme el cumplimiento, pero con toda baquía me dejaba un juego lindazo para mis intenciones... y las de ella.

—¡Señora! —le contesté, sobre el pucho y muy estirado—, usted está en una posición mejor que la mía, que si no, y perdone el atrevimiento, yo me comprometería a hacerla feliz, y que se olvidara del finadito. Y ¿sabe por qué?... porque a gatas la vi, me fue muy simpática, y hoy ya la quiero de alma...

Doña Carolina se agachó al plato, como para seguir comiendo; pero no comió, y al rato me dijo despacio, como con miedo de que le hiciera caso a lo que me decía:

—No hablemos más de esas cosas.

Yo me quedé callado, porque no había para qué estirar mucho la prima, y era mejor pasar por corto de genio... Ella fue la que habló primero, mientras estaba sirviendo el postre...

—Cuénteme algo de lo suyo... de su vida —me dijo—. Ya sabe que me gusta mucho oírlo hablar.

—¡Mi vida ha sido tan triste hasta ahora, misia Carolina!... Puras penas nomás... He sufrido mucho y no quisiera molestarla con mis recuerdos...

—Bueno —contestó medio afligida—. No quiero que se vuelva a entristecer —y entusiasmándose, siguió—: Ya no ha de pasar más penurias, porque no va a estar toda la vida conmigo como un dependiente... Usté es trabajador, aunque le gusta divertirse a veces... Lo voy a hacer entrar como socio: ya sabe que en este boliche se gana platita. ¡Ya ve que todas las noches saco treinta o treinta y cinco pesos del cajón, y hay, también, que contar los fiados y las libretas...! Pero, si usté mismo hace las bebidas, que son lo más caro, tenemos que ganar mucho más.

—¡Así es, señora! —le dije con los ojos como patacón.

—Dígame entonces lo que necesita —siguió ella—, y yo le daré la plata para que se vaya a Chivilcoy, o al mismo Buenos Aires, si es mejor, y se traiga todo...

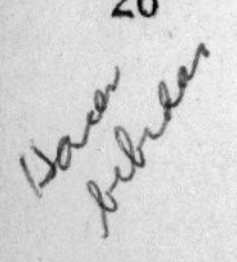

—¡Mire, doña Carolina, me hace llorar de buena que es! ¡Y créame que no favorece a un desagradecido!

E hice la farsa de limpiarme los ojos con un pañuelo de seda celeste —¡ah criollo!— que ella me había regalado en los primeros días y que tenía limpio y muy planchado. Después seguí:

—¡Bueno, señora!, me iré mañana mismo, si le parece, y con doscientos pesos haré el viaje y compraré las cosas y las mixturas que me hacen falta. Y en un año, no habrá que comprarle al indino del licorero más que la soda y la cerveza...

—¡Está bueno! Mañana mismo irá.

Pensé acercármele al ver que le brillaban los ojos, pero en seguida me pareció que quién sabe si no corcoveaba...

Yo, al fin, soy un poco corto de genio... ¡aunque no tanto!...

VII

Esa noche quedó arreglado y convenido todo lo de la fabricación, y en buen camino las otras cosas, que por lo visto no le habían disgustado mucho a la gringa. ¡Ah!, ¡me olvidaba! También me dijo:

—Usté no tiene capital, y aquí en el boliche hay un capitalito de unos pocos miles de pesos. Pero haremos cuenta que la mitá es de usté, para no andar con embrollos.

Yo me largué contentísimo al galpón, donde tenía mi cama; pero aunque era blandita, casi me pasé toda la noche revolviéndome, sin poder pegar los ojos.

Pues en cuantito principió a clarear, ya estaba con los huesos de punta y con todo aprontado para el viaje...

Tomé unos cimarrones con ño Cipriano, que dormía en la otra punta del galpón sobre unas pilchas viejas, y con quien nos habíamos hecho amigazos. Cuando le conté lo de la sociedad y el viaje, bailando de gusto, me dijo muy serio:

—Tenga mucho cuidau, paisano, con lo qui hac'en la ciudá; no vay'a dejar qu'el asau si arda antes de qu' esté en su punto. Usté va lejos, pero más lejos van las mujeres... De puro desconfiadas y ladinas, cuand'uno va, ya están de güelta. No se me descuide, y se me quede di a pie cuando ya está estribando.

Me hice el desentendido y me reí, brindándole el mate que cebábamos una vez cada uno, a lo resero. Después me levanté para irme.

—Bueno, hasta la vuelta, amigo don Cipriano.

Que le vaya bien y hasta la güelta, mozo; no se tarde, que al güey lerdo... sabe...

Me fui a despedir de la gringa que me dio tres o cuatro sacudones de manos, con los ojos aguachentos, monté el sotreta overo que ya había ensillado, y con su galope de ratón seguí hasta un almacén de al lado de la estación de Pago Chico. Ahí dejé el mancarrón, muy recomendado, y me entretuve tomando unas cañitas, porque todavía faltaba un rato para el tren...

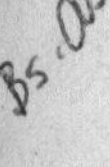

En Buenos Aires compré etiquetas con todos los nombres y todas las marcas de las bebidas, corchos, lacre, cápsulas de lata, esencias de todo, y unas damajuanas de aguardiente muy fuerte, que es lo principal para los licores. No me olvidé tampoco de los polvitos de anilina para dar color, ni de una punta de yerbas y palos de droguería que necesitaba. Compré también por si acaso un "Manual del Licorista", y sin perder tiempo, acordándome del buen consejo de ño Cipriano, me volví a Pago Chico y enderecé en seguida para la esquina "La Polvareda" como le sabían decir a la casa de negocio.

No se me da la gana de decirles cómo me recibió doña Carolina, pero les aseguro que no fue mal... ¡No!, lo que es eso, ¡no!; hasta ahí no llegaba la broma todavía...

Bueno, pues, al otro día mismo, ya me puse a hacer mis menjunjes, y de ahí salió anís, coñá, ginebra, guindado, hasta vermú; rebajé el vino que había (dejando unas damajuanas aparte para nuestro uso), le eché mucho aguardiente, un poco de anilina, y de cada cuarterola alcancé hacer más de dos, como se lo había prometido a mi gringa. Y todavía me acuerdo que, entusiasmado con el trabajo, hasta inventé licores, o más bien dicho, el color y así hice caña de durazno azul, ginebra amarilla como el oro, biter de naranja verde y colorado, y un licorcito muy dulce de vainilla, color violeta claro, que los reseros sabían llevarle a la novia de regalo, por lo rico, y sobre todo por lo lindo que era.

La cosa resultó magnífica, y a los marchantes les gustaban más algunas bebidas hechas por mí que las legítimas, puede ser que porque eran más fuertes. Y decían al pedirlas:

—¡Eh, mozo!, una caña... de la que toma el patrón, ¡eh!

Carolina estaba muerta de contenta, y un día me dijo:

—Usté tiene unas manos de ángel (decía *ánquel*) y estamos ganando mucha plata. Y... ¿quiere que le diga? Lo que yo necesitaba era un joven (*coven*) como usté... Y ahora que lo conozco bien... ya le puedo prometer que... que vamos a ser felices en todo sentido...

Yo no había vuelto a hablarle del asunto serio, pero en todo aquel tiempo la miraba con ojos de carnero degollado, ronciándola y pensando: "¡Ya has de caer!, ¡ya has de caer, mi vida!", seguro de que no se me iba a escapar. Y todavía, haciéndome el zonzo, le salí con esta agachada:

—¿Qué quiere decirme, señora, con *felices en todo sentido*?

La gringa se desentendió, contestándome colorada:

—Conversaremos esta noche, después de cerrar el negocio... Entonces le diré la contestación...

Yo hubiera bailado en una pata, de puro contento.

Y efectivamente... Cuando acabamos de comer, cerré la puerta de la ramada —que se cerraba por afuera—, entré al negocio por la del patio, y me encontré a Carolina que me estaba esperando.

—Ahora puede decirme —principié despacito, para quitarle los últimos recelos.

Pero ya no había necesidad de tantas historias.

—Bueno, conversemos —dijo muy seria—. Pero antes dígamé la verdad... ¿Usted se casaría conmigo?...

Le iba a contestar, pero no me dejó.

—Soy un poco vieja y fea —siguió con una especie de coqueteo que hoy me da risa—, pero lo quiero mucho; y, como le dije hoy, podemos ser felices en todo sentido... La cosa es, que hay que casarse, si no, *¡niente!*

Yo nunca había pensado en semejante cosa, pero comprendí que la gringa no iba a aflojar ni por un queso, y conseguí ponerle buena cara.

—¡Oh, misia Carolina! Nunca creí otra cosa, y casarme con usted sería mi felicidad —le dije.

Se rió muy contenta, y me dio la mano que me apretó mucho, con los ojos medio llorosos.

—¡Bueno, bueno! —siguió—. Entonces yo le daré lo que quiera, y si no tiene inconvenientes, mañana mismo se va a Pago Chico, a comprar todo lo que haga falta para casarnos en cuanto pasen las amonestaciones...

Y como para ensartarme más de lo que estaba, dijo que el negocio no era más que una parte de su fortunita, porque tenía un campito ahí cerca, arrendado a unos vascos, unos pesitos puestos en Buenos Aires, en el Banco de Italia, y algunas cositas más que yo vería después.

—¡Aunque no tuviera en qué caerse muerta, misia Carolina! —le dije contentísimo—. ¡Sería lo mismo para mí, y me casaría con usté inmediatamente!... ¡Sí! Mañana mismo me voy al Pago, a hacer las compras, a ver al cura, a buscar los padrinos, y mandarme hacer una ropita decente, porque no me he de casar como un zaparrastroso...

Y agarrándola por la cintura, como para bailar, le grité:

—Ya verás, h'hijita, qué felices vamos a ser!...

Pero aunque el negocio me conviniera mucho, yo no dejaba de tener un poco de vergüenza, por las relaciones y la familia, que no iban a dejar de saber mi casamiento, porque al fin y al cabo yo no soy un cualquiera, aunque anduviese más pobre que las ratas... ¡Y se me ocurrió una idea macanuda!

—Mirá, hijita —le dije sobre el pucho: como vos sos viuda y yo un poquito más joven, como no tengo un real ni para remedio, fuera de lo que vos me das, será mejor que tratemos de no dar que hablar a las lenguas largas: ya sabés lo mala y enredadora que es la gente, sobre todo en Pago Chico. Casémonos, pero sin fiesta, que para fiesta bastante somos los dos...

—¿Y de ahí? —me preguntó medio alarmada.

—¡Mirá! Arreglamos con el cura Papagna la dispensa de las amonestaciones; viene aquí mismo, nos casa, con algún vecino, o el mismo ño Cipriano, y una amiga de confianza de padrinos, y después, cuando todo el mundo sepa y se haya acostumbrado, si se nos antoja podemos dar cuanta farra se nos dé la gana sin que nadie se ría de nosotros, ni ande con habladurías, ni levantadas...

—¡Hacé lo que querás! —me dijo por fin la gringa, que estaba más contenta que cuzco recién desatado—. Con tal de que nos case el cura, y nos eche la bendición delante de los padrinos, a mí no me importa nada. ¡Hacé lo que querás!

VIII

¡Pues, señor! Echo en saco roto una punta de menudencias para contarles lo del cura, que es realmente divertido, como que a mí mismo me dejó pasmado, y medio zonzo, aunque haya visto tantas cosas raras en la vida.

Este cura, que era un napolitano cerrado de lo que no hay, hacía poco que estaba en el Pago, pero por las mentas ya se había puesto riquísimo y pensaba irse pronto a su tierra. ¡Rico! Díganme, háganme el favor, ¿cómo puede ponerse rico un cura en un pueblo de campo, aunque le lluevan las limosnas y le goteen las velas para los santos y haga como el sacristán de Nuestra Señora de la Estrella: "la mitá p'a mí, la mitá p'a ella"? Yo no creía, ni muchos creían tampoco, que el cura Papagna estuviese regularón siquiera; pero es que era un verdadero pillo, un gran canalla, un fraile como no he visto otro en todas mis recorridas por esta tierra, en que he hallado unos muy buenos, otros regular no más, y otros muy malos... ¡No, lo que es como aquél!...

El cura Papagna era bajito, gordinflón, muy narigueta, bastante canoso, con unas manos peludas y como patas de carancho, pero más gruesas, ¡natural! Andaba siempre con la sotana perdida de lamparones, y la barba sin afeitar de muchos días; así es que parecía —y era— ¡un sucio! Yo no sé si han notado que hay gente que se diría que no se afeita nunca; pero entonces, ¿cómo es que siempre tienen cortos los pelitos de la barba?...

Bueno, pues, cuando salía al campo, a casar y bautizar, iba en un bayo tan peludo y tan sucio como él. Por el pueblo poco se le veía, sino en la misma iglesia y a la hora de la misa, o cuando había rosario, novenas, o qué sé yo. Según decían los comerciantes del Pago, nunca gastaba un cobre, y hasta vendía las gallinitas y pollitos que le llevaban de regalo las beatas. Siempre andaba llorando miseria aunque el cuerpo le destilara grasa por todos lados. ¡Corrían unos cuentos de él!... Muchos vecinos se habían quejado varias veces al arzobispo, no me acuerdo bien por qué, pero el arzobispo se hizo la chancha renga, y el cura Papagna siguió tan suelto de cuerpo en la parroquia, casando, bautizando, diciendo misa y predicando... ¡Vieran los sermones!... Eran cosa de perecer de risa. No se oían más que las mentas de las barbaridades y bolazos que largaba medio en napolitano, porque ni el italiano sabía bien. Cuando fui a hablar con él, estaba en la sacristía, sentado cerca de una mesa mugrienta, con las manos cruzadas sobre la barriga, redonda como un tremendo queso de bola.

—¿Qué vulite? —me preguntó.

—Yo, señor cura... venía... venía porque me voy a casar...

—Va bene!, va bene! Songo diechi nachonale... E un qui se ne casa?... Bisoña pagá antichipate pei publicazione... amonestazione... A mushás é de acá?... Eh!... vedite... diechi nachonale é poca roba!

—¡Espere un poco, señor cura!... Es que yo quisiera la, ¿cómo se dice?, ¡ah!, ¡sí!, la despensa de las amonestaciones.

—Allora so tranta!

—Y que nos casara en casa de la novia...

—Allora so sesanta... Un pozo fá de meno.

—¡Oh!, por eso no importa, señor cura: se le pagarán los sesenta pesos... Pero, ¿cuándo nos podrá casar?

—Cuanne vulite... E qui é a compromesa?

—¿La qué dice?

—La mushás...

—¡Ah! ¡Sí! Doña Carolina, la viuda, ¿sabe?, la de la pulpería de la Polvareda...

—Va bene, va bene.

Y el cura se quedó un rato callado, como pensando. Después, medio riéndose, se levantó de la silla, se me acercó, y agarrándome la solapa de la chapona, me dijo despacito, como para que nadie lo pudiese oír, aunque no hubiese nadie en la sacristía...

¡Ah! Como me parece que alguno de ustedes no entiende el nápoli, lo voy a hacer hablar en Castilla.

—¿Pero usté quiere casarse de veras?... ¿en el libro de la parroquia? —me dijo.

Realmente quiere casarse? el cura

Al principio no entendí lo que quería decirme y lo miré azorado.

—¿Por qué me dice eso? —le pregunté por fin.

—¿Eh? —me contestó el muy sinvergüenza—. Porque hay algunos que quieren casarse, sí, pero que no les pongan el casamiento en el libro... Entonces, yo les hago un certificado en un papel suelto, y se lo doy para que lo guarden. Entonces... pero no va a decir nada, ¿eh?

—¡Qué esperanza, padre!

—¿De veras?

—¡Mire: por éstas!

—Entonces, si la mujer es buena, ellos lo guardan; pero si no es buena, lo rompen y se mandan mudar si quieren y la mujer no puede hacer nada, ¡eh!... Yo tengo permiso para casar así, pero nadie tiene que saberlo, porque es un secreto de la Iglesia... y también es mucho más caro que el otro casamiento...

¡Qué iba a tener permiso el cura picarón! Era una historia que había inventado para *far l'América*, y llenar pronto el bolsillo aunque se fuera al infierno derechito; tantas ganas tenía de volverse a su tierra a comer pulenta y macarrones.

Pero, después de un rato... la verdá... pensé que no sería malo casarse así, como él decía, aunque nunca, ni menos entonces, se me había pasado por la cabeza engañar a la gringa, tan buena y cariñosa... El diablo del cura me tentó, y no tenía la culpa, al fin y al cabo, y como lo que era por plata no había que echarse atrás, porque Carolina tenía bastante, pisé el palito, me pareció que ésa era una gran seguridad para mí, y le dije al cura:

—¿Y cuánto sería el gasto de ese modo, padre Papagna?

—Trechento pesi.

—¿No puede ser algo menos? —le pregunté, porque para rebajar siempre hay tiempo.

—Ni un chentavo... Y además, usté me va a jurar, por el santo Dios y la Santísima Virgen, que no le va a decir nada a nadie, de mientras yo esté en *cuest'América*!...

—¡Qué quiere, padre! ¡No puedo darle tanto! Y ni le pago, ni juro —añadí, para obligarlo a rebajar.

Él medio se me asustó, y palmeándome el hombro, comenzó a ver si me amansaba. Pero no aflojé, ni él tampoco, y así estuvimos un rato largo regateando. ¡Miren qué negocio para regatear! ¡Hoy mismo me estoy haciendo cruces!... En fin, cuando me dejó la cosa en ciento cincuenta pesos, le dije:

—Bueno, le pagaré y juraré —pegándole una palmadita en la panza, porque ya le había perdido el respeto. ¡Y de no!

Saqué el rollo que me había dado Carolina y me puse a contar. ¡Le vieran los ojos al fraile! ¡Parecía que se quería tragar la plata!

Cuando le di los ciento cincuenta, los agarró con sus uñas de carancho, de medio luto por la mugre, los contó él también, y los volvió a contar. Se alzó la sotana y se los metió bien al fondo del bolsillo del pantalón que tenía debajo, como para que no se le escapasen.

¡Y qué agarrado! Mientras estaba guardándolos, temblaba todo, como si fuera perlático. ¡Nunca he visto cosa igual!... Después se sosegó un poco y me dijo:

—Bueno, ahora vamos a jurar.

Me llevó a la iglesia por la puerta de la sacristía, me hizo hincar enfrente del altar mayor, y con mucha seriedad, principió:

—¿Jura por Dios y por el Santísimo Sacramento y por la Santa Virgen, no decir nunca a nadie cómo lo he casado, mientras yo esté en Pago Chico y en América?

—¡Sí, juro! —contesté fuerte.

—¡Ponga la mano sobre este libro, que es el Evangelio, y de esta cruz, y jure otra vez!... Y si falta al juramento, ¡los diablos lo perseguirán en esta vida, y lo harán arder en la otra!...

Puse la mano como él decía, y volví a jurar.

—¡Bueno!, ahora levántese, y dígame cuándo quiere casarse, y se puede ir no más.

—Hoy es jueves. El lunes a la noche, ¿no le parece?

—Beníssimo!; a la nove, no?

—Muy bien... y ¿no tendremos que confesarnos?

—¡Eh!, ¡qué confesarnos, ni confesarnos!... ¡para esta clase de casamiento no se prechisa!...

IX

Figúrense lo contento que me iría a comprar los muebles, aunque hubiesen mermado tanto los pesitos que me dio la gringa Carolina. Los gasté todos y todavía quedé debiendo a nombre de la gringa, para pagar a los dos o tres meses; el mueblero no tuvo inconveniente en fiarme, porque ya se sabía en el Pago que yo era socio de la pulpería y algunos me la achacaban de querida a la gringa. ¡La gente es tan mala!...

Bueno, pues, nos casamos el lunes que habíamos dicho con el cura, y salieron de padrinos el viejo ño Cipriano y una parda medio adivina que vivía en un ranchito cerca del negocio, y siempre andaba descalza y de pañuelo colorado en la cabeza.

Carolina se había encajado un gran traje de seda negra, con pollera de volados y bata de cadera, y se había puesto una manteleta en la cabeza, que le pasaba por detrás de las orejas y se ataba debajo de la barba, unas caravanas larguísimas de oro que le zangoloteaban a los lados de la cara redonda y colorada, y un tremendo medallón con el retrato del finadito, de medio cuerpo. Después se puso el mío...

El cura, que se fue en su bayo peludo, sin sacristán ni nada, nos echó sus jerigonzas, en dos minutos, hizo firmar la partida de casamiento, la firmó él también, salió al patio conmigo, me dio el papel sin que nadie lo viera, montó el sotreta, y se largó al trotecito para el pueblo, gritando:

–Eh! que siano feliche!

No se quedó a comer como lo había invitado Carolina —y eso que era un gran tragaldabas—, seguramente porque en el Pago no se fuera a maliciar la cosa del casorio falluto.

Pero se llevó un pollo asado, una botella de Chianti y otras cositas más...

Carolina, que se pintaba sola para esas cosas, había hecho una cenita de regular arriba, y los cuatro —yo, ella, ño Cipriano y la parda— nos sentamos a comer y a chupar en grande. ¡No, si era chacota!... El viejo se le prendió al vino como guacho hambriento a leche recién ordeñada. La parda, de consiguiente. Carolina se puso medio alegrona, y yo... ¡no les digo nada!... A los postres, ño Cipriano, para rematar la fiesta, se le prendió a la caña de durazno y soltando refranes y dando consejos, se mamó tan fiero, que tuvimos que llevarlo al galpón entre los tres...

—¡Cosas de la vida! ¡Cosas de la vida! —decía la parda, trastabillando, lagrimeando y babosa con la tranca.

Al rato se enloqueció del todo, y como ni podía estarse parada, se tuvo que quedar aquella noche. Al otro día le dijo a Carolina que había soñado que un ángel bajaba del cielo para venir a bendecirla a ella y a mí, y que ésa era seña segura de que íbamos a ser lo más felices. Que también soñó que le regalaban unas gallinitas y un corte de vestido... ¡Miren la parda ladina!

La gringa, de puro contenta, porque yo no le había mezquinado aquella noche —y si no ¡juéguenle risa no más! ¡después de andar galgueando tanto tiempo!—, le regaló efectivamente las gallinas y el generito y hasta me parece que un par de pesos de yapa, con lo que la parda se fue contentísima, blanqueándole los dientes y relampagueándole los ojos.

Yo la atajé cerca del palenque, para decirle que no

fuera a decir nada del casamiento, que tenía que ser cosa muy secreta.

—¿Y a quién l'he d'ecir —me contestó—, si pronto voy a dirme del Pago?...

Y era verdad, porque a los dos meses se fue.

Pero ¡miren lo que son las cosas! Habíamos empezado tan bien cuando ¡zás-trás!, no faltó quien viniera a descomponer el baile. En esta vida no hay fiesta completa.

Ño Cipriano, que dejamos tumbado en el galpón, no aparecía aunque el sol ya estuviese alto.

Al principio no nos fijamos, pero Carolina me preguntó de repente:

—¿Ché, lo has visto al viejo?

—No, ¿y vos? —le contesté.

—Yo tampoco.

—Se habrá ido p'al arroyo con los chanchos.

—¿Qué, no ves los chanchos encerrados en el chiquero?, ¡quién sabe si no le ha pasado algo!...

—Estará durmiendo la mona; pero, no le hace, vamos a ver.

Fuimos al galpón ¡y qué les cuento!, nos encontramos al viejo ño Cipriano tendido panza arriba, todo como acalambrado, con la cara color violeta, y frío, helao. Carolina, asustada, comenzó a darle *fletaciones*, pero ¡qué caray! al divino botón: el pobre viejo con la mamúa había cantado para el carnero. La gringa se me puso a llorar como una Magdalena.

—Pero, ¿qué te da, hijita, para llorar de ese modo? —le pregunté.

—Es que... ¡es que ño Cipriano era tan bueno! Y además...

—Además, ¿qué?

—¡Que me parece que tenemos que ser muy desgraciados! ¡Miren qué casamiento, con un difunto en la casa, desde el primer día!...

—¡Bah!, ¡no seas pava! —le dije enojado—. Ño Cipriano estaba muy viejo, y cualquier día tenía que estirar la pata... ¡Eso no quiere decir nada; ya sabés... muertos no hablan!... ¡Y fuera de eso, acordáte de lo del ángel y no llorés, zonza!

Medio se calmó con lo que le dije, pero ya quedó sentida para siempre, y asustadiza y tristona. ¡Así son las mujeres, compañeros: llenas de agüerías!

Yo tuve que costearme al pueblo, a avisar a la autoridad. A la tarde se presentaron el comisario Barraba, el doctor Calvo, que era médico de policía, y dos milicos. Después de mucho registrar y molernos a preguntas, de cómo había sido, y cómo no, se llevaron a ño Cipriano en un carrito, para abrirlo y ver de qué espichó, y me quedé solo con la Carolina, todavía más triste y asustada.

—¡Lo van a achurar al pobre!... ¡Qué desgracia!... *Maledetta sorte!*

Y volvió a llorar a sollozos.

—¡Miren, la mujer tan grande y tan pazguata!... Déjese de llanto, misia Carolina, que eso es de criaturas —le dije en broma—. ¡Para lo que va a sufrir ño Cipriano con que le anden adentro a estas horas! ¡Vaya!, vamos a tratar de divertirnos un poco. Los muertos no quieren andar estorbando a los vivos, sino que los dejen quietos. Récele si gusta, pero vamos a ver si comemos, ¡y bien!

¿No les parece natural? ¡Natural!

Carolina se sosegó un poco, fue a cocinar, comimos después de cerrar la pulpería, yo traté de alegrarla con una punta de dichos y hasta milongas, y tempranito no más nos acostamos... Desde el otro día, principió la vidorria y farra, después de enterrar a ño Cipriano, que resultó bien muerto y sin culpa de nadie.

Los amigos —y ya tenía una punta— caían como moscas a La Polvadera, y yo los obsequieba lo mejor que podía.

Carolina se pasaba la vida con las ollas y acomodando la casa. Nosotros, para matar el tiempo, y menudeándole a las copas, armábamos jugarretas de truco y taba; después hicimos riñas de gallos, y hasta dimos bailongos en el patio, entre el palenque y la ramada.

En la taba y en las riñas, el comisario —que me había dado permiso, aunque el juego estuviera prohibido en toda la provincia— no se llevaba más que la mitad de la coima; así es que todo me hubiera salido perfectamente, si no me da la loca por jugar fuerte a mí también.

Como siempre perdía, Carolina principió a rezongar.

—¡Ya decía yo, cuando encontramos al pobre ño Cipriano, que eso había de traer desgracia! ¡Ya todo empieza a andar mal! ¡Oh, Madona, Madona mía!

Y estos lloriqueos y rezongos fueron empeorando, empeorando. La gringa echó un genio de la gran perra. Se me quería imponer y teníamos un sinfín de peloteras; pero ¡qué había de poder conmigo, ni qué se iba a poner mis pantalones, que tengo tan bien puestos!... ¡A cada zafarrancho yo, de gusto, lo hacía peor, cataba una mona, y el vino de reserva era el que pagaba el pato!

Por consejo de un amigote, y aunque rabiara la gringa, hice arreglar bien el camino real, en el retazo que estaba frente a La Polvareda, que quedó parejito como un billar. Y ahí no más armé carreras los domingos, también con permiso del comisario Barraba, que sabía a veces presentarse a cobrar la coima en persona, para que no hubiese barullo, ni peleas, decía.

¡Vieran qué lindas farras! Los paisanos caían que era un gusto, y el beberaje y el fandango duraban desde la mañana hasta ya anochecido, el cajón se nos llenaba de cobres, y yo tenía negocio y diversión a un tiempo.

Pero compré un potrillo zaino, parejero, y ésa fue mi perdición...

Una suerte perra me perseguía sin darme alce. Agarraba una taba y ¡zas!, culo sin fallar una vez. Al mus siempre había quien se desemporotara primero, y ¡a pagar! Al truco, ¡parecía cosa del diablo!, los compañeros me embromaban con que era capaz de perder el envido con treinta y tres de mano. Si cantaba flor, me echaban el contraflor al resto, y si caía el bicho de parra, ya podía estar seguro de que el contrario empacaba el de amansar locos para darme en el mate. Mis gallos, cuando no me resultaban juidos, tenían que clavar el pico a las primeras de cambio. "¡Pucha que había sido mulita, amigo!" –me sabían decir los camaradas. Era una maldición, y yo, como es natural, me calentaba cada vez más y buscaba el desquite como un toro furioso.

Y como de uvita a uvita se acaba un parral, los pesos volaban que era un contento. Pero tenía una gran esperanza, que era el potrillo zaino, lindo animal, fino de patas, de pescuezo largo y cabeza chica, delgado, sin ni esto de barriga, voluntario como él solo, y más manso que el overo rosado de Laguna. Yo mismo le daba de comer, lo bañaba, lo rasqueteaba, y todas las mañanitas salía a varearlo donde no me vieran. Y en unas cuantas largadas que hicimos de balde y en secreto con unos amigos, el pingo resultó de mi flor. ¡Qué parejero! ¡Con él no me habían de ganar ni por chiripa!

Carolina, a todo esto, viendo que la plata se le iba como el agua de una tina sin arcos, comenzó a armarme camorra peor que nunca.

–¡Así no podemos seguir! ¡Estás tirando todo lo que he ganado con mi *trabaco*, canalla! –me decía medio rabiando, medio llorando.

Cuando me hacía enojar mucho, yo gritaba también y más fuerte que ella.

–¡Dejame en paz! ¡Sos una gringa de porra! ¡No me incomodés, que te puede costar muy caro! ¡Callate la boca, y más que ligero!, ¿eh?, ¿me has entendido?... ¡Si no te callás, te va a pesar!

¡Era que entonces me acordaba de lo del casamiento y del papel que me había dado el cura, pero sin intención de largarla, pobrecita!...

Quiso esconder la plata, pero, ¡por dónde no la iba a encontrar yo, cuando me entraban ganas de echar una talladita al monte o hacer un truco de cuatro! Y Carolina, al ver que se la había pispado, gritaba y maldecía primero, y después se metía a llorar en un rincón.

—¡No es por la plata!, ¡no es por la plata! ¡Es que veo que no me querés y que no pensás en mañana!

—Dejá, hijita —le contestaba yo entonces, amansado por sus lloriqueos—. Ya verás cómo nos desquitamos. ¡No te aflijás, zonza!, ¡si hemos de ser muy felices!

—¡Ah, Madona, Madona mía! —suspiraba la gringa.

...En cuanto creí que el zaino estaba en punto de caramelo, me apronté a dar el gran golpe. Lo había tenido tapado, como ya les dije, y no lo conocían más que dos o tres amigos, que pensaban jugar fuerte a sus patas, y que no me iban a descubrir ni por un queso.

Un domingo de madrugada agarré y lo tusé desparejo, lo entrepelé, le llené la cola de barro y abrojos y lo puse, en fin, que parecía el último matungo de una chacra de gallegos. Después le puse un apero viejo, y encargué a un peón de lo de Torres, que tenía comprado, que a la hora de las carreras cayese montándolo a la pulpería. El peón se llevó el parejero.

—Hoy voy a correr con el zaino —le dije a Carolina.

—Dejate de esas cosas —me contestó—. ¡Qué carreras, ni carreras! El juego es la perdición del cristiano.

—¡Esta vez estoy seguro de ganar! Al zaino lo he puesto desconocido, lo van a tomar por un sotreta, y ya verás la ponchada de pesos que nos ganamos.

—Prometéme, al menos —dijo la gringa, aprovechándose al verme blandito—, prometéme, al menos, que si de esta hecha perdés, no vas a volver a jugar.

—¡Mirá, por éstas! —le contesté, besando la cruz de los dedos...

X

¡Qué quieren que les diga! Principió a caer gente y La Polvareda se llenó como la misma plaza de Pago

Chico para un veinticinco de Mayo. Se largaron varias carreras. Corrió el coperío, que no dábamos abasto para despachar. El paisanaje se calentaba ya de lo lindo, cuando llegó el peón con mi zaino.

Había un tal Contreras, que le tenía mucha fe a su crédito, un tordillo, ligerón, es cierto, pero no gran cosa. Mi parejero no tenía ni para empezar.

Contreras era diablón, mal intencionado, peleador de alma atravesada, y jugaba platales que se agenciaba no sé cómo: dicen que se los daba el pillo del escribano Ferreiro, para que le guardara las espaldas, y para que asustara a sus contrarios políticos... ¡con nada!, palizas y hasta puñaladas y tajos si a mal no venía.

—¡Lindo su tordillo! —le dije, eligiéndolo de ahijado, porque era hombre de meterle un cien y es lo que me convenía—. ¡Lástima que se haya puesto tan gordo!

—¿Gordo?, ¡no embrome! Está en carnes, compadre, y es capaz de tragarse al más pintado. Y eso, que venimos de lejos...

¡Mentira! Hacía una semana que lo tenía descansadito en el Pago, preparándolo.

—¡Bah! —le volví a decir para calentarlo más—. En cuanto principian a echar panza...

Me miró riéndose para que no le conocieran la rabia.

—¡No cargue, que no hay quien lave, paisano! Si quiere verle la panza, tiene que ponerse antiojos. Y, barrigón o no —siguió gritando—: ¿a ver quién es el mozo guapo que quiere perder cien pesos?

Muchos se acercaron y nos rodearon.

—En ese estau del caballo —le contesté sobre el pucho, medio riéndome—, yo le corro con cualquier maceta.

—¡Oiganlé! ¿Y con cuál?

—Con este zaino abrojudo, sin ir más lejos. ¿Me lo empriesta, paisano?

—¡Cómo no! —contestó el peón que lo había llevado—. ¡Corra no más!

Contreras miró con atención el caballo, lo palmeó, lo hizo andar un poquito.

—Este mancarrón no es lo que parece —me dijo—. ¡A mí con l'uña! Pero... porque no se diga... le corro, ¡bah!

—¿Por los cien pesos?

—¡Y entonces!

—¡Depositemos!

—¿Depositemos? ¡Avise, compadre! —rezongó, revolviéndose los ojos.

Yo, sabiendo que aquello quería decir pelea, me callé la boca, desensillé el zaino, le puse bocado y una jerguita, me saqué el saco y el chaleco, me hice una vincha con un pañuelo colorado, y ¡ya estuvo!

El paisanaje, caliente, jugaba a raja cincha. Muchos ofrecían doble a sencillo contra mi zaino. Yo agarré una punta de patadas, y los amigos que sabían de la cosa, de consiguiente.

El tiro era de dos cuadras. Después de unas cuantas partidas, largamos y mi potrillo principió a sacar su ventajita, primero la cabeza, después un pescuezo, después medio cuerpo, ¡sin castigar! ¡Contreras venía a dos rebenques, lonja y lonja!... Claro que el tordillo se le iba a aplastar, pero estaba ciego de rabia con la fumada... Yo vi mía la carrera, y por no dar a conocer todo el juego del animalito, lo llevaba sobre la rienda... Asimismo saqué un cuerpo de ventaja, cuando ¡malhaya!, medio matando su tordillo, Contreras me alcanza, le mete pierna al zaino, que rueda largándome por las orejas y pasa como un refusilo sin parar hasta la raya. ¡Hijuna!...

Por suerte yo caí parado, pero, ¡vieran el avispero que se armó! El paisanaje gritaba, se insultaba, hasta zongoloteaba al juez de la carrera... Salieron a relucir cuchillos, y si no se mete el comisario Barraba, la cosa hubiera acabado mal.

Contreras volvía al tranquito, golpeándose la boca, muy contento... ¡Me dio una rabia!...

En cuanto me alcanzó —yo iba a juntarme con los otros frente a la pulpería, cabrestiando al zaino rengo—, no pude más y grité:

—¡Canalla! ¡Tramposo, sinvergüenza! Me has metido pierna, ¡hijuna gran!...

Ahí no más se tiró del caballo pelando el fiyingo. Yo me eché atrás para desenvainar también.

A mí no me gustan mucho esas cosas, ¿a qué decir? Soy bajito, bastante delgadón, no tengo gran fuerza, y a más, no entiendo mucho de cuchillo. Pero el hombre me apuraba, los paisanos habían corrido a ver, y había que hacer la pata ancha.

Me tiró dos puñaladas que conseguí atajarme, mal que mal. ¡Pero las papas quemaban, compañeros!...

—A la larga no hay cotejo —me gritaba Contreras, bailándome alrededor y con unas risitas calentadoras, como chungueándome.

Yo ya me encomendaba a la Virgen viendo la cosa mal parada, y el bárbaro aquel de seguro me achura, si no llega Carolina, corriendo y chillando, hecha una loca, y no sé cómo, con la desesperación, ¡seguro!, le arranca el cuchillo de la mano.

—¡Y ustedes lo *decan*, y ustedes lo *decan*! —les gritaba a los mirones.

Los gauchos nos rodearon, desapartándonos, y recién entonces se acercó el comisario Barraba. Yo había hecho la chambonada de no decirle la cosa del zaino, y él le jugó al tordillo... ¡Se necesita andar en la mala!...

Contreras, y la mayor parte de los paisanos, alegaban que el tordillo había ganado en buena ley, y que la rodada fue porque el zaino mancarrón, flojo de patas, no era para correr... El juez de la carrera se desgañitaba al cuete; no le llevaban el apunte, ni a mí, ni a mis amigos tampoco.

—¡Que resuelva el señor Comisario! —gritaron algunos, de repente.

—¡Sí, eso es!... ¡eso es! —rebuznaron todos los que habían jugado al tordillo.

El gran pillo de Barraba dio la sentencia:

—La carrera es legal. ¡Ha ganau Contreras!

Contra la fuerza no hay resistencia.

—Pero, señor Comisario... —principié.

—¡Calláte y pelá! Tenés que pagar a todo el mundo.

Y tuve que pagar no más, calladito la boca, y ahí se me fueron los últimos pesos guardaditos... ¡y hasta los del cajón del mostrador!...

Carolina me miraba con los ojos saltones, y de veras que la cosa no era para menos.

—¡Mi alma!, ¡te debo la vida! —le dije.

—¡Sí, sí! —contestó medio llorando—. Pero no *cugués*, ¡no *cugués* más, por Dios!

—¡Sí, perdé cuidau!

Y me puse a despachar copas y a chupar yo también, para olvidarme de tanta pena, y ¡qué quieren!, el ginebrón me hizo voracear y empecé a las convidadas. ¡Miren qué momento para darme corte!

—¡Eh, paisano, tomen lo que gusten!

Y al ratito no más, dale, otra vuelta y otra...

—¿Qué gustan servirse, caballeros?

Carolina se había puesto furiosa.

—¡Ma¡... ¡Ma!... —me decía atorada de rabia.

—La patrona está llamando a la mama —decía un paisano.

—¡O a la ma...múa del patrón! —retrucó otro.

¡Después, nunca me pude acordar! Creo que hubo payada y baile, y que repartí cuanto había de comer y de chupar en la casa.

Lo cierto es que la pulpería quedó tecleando. Pero también, ¡qué farra!

A la otra mañana, me encontré tirado en un zanjón que había junto al palenque. Se me está haciendo que allí dormía, pero no sé cómo fui a parar a semejante cama. ¡Cuando uno agarra uno de esos de P. P. y W.!...

La gringa estaba encerrada en su cuarto, y no me quería abrir ni a cañón, y según me dijo después, se había pasado la noche llorando desesperada. Cuando conseguí que me abriera, tanto lloró y suplicó, que me ablandé, y le prometí que aquella era la *última vez,* y le dije que me iba a poner a trabajar de veras, como un burro si era necesario, para desquitarnos de todo lo que habíamos perdido, sin volver a pensar en jugar, ni en gallos, ni en carreras.

—¿Te crés que m'he olvidado que te debo la vida? —le dije—; porque si no sos vos, ¡Contreras me achuraba!...

Pero el hombre propone y Dios dispone...

¡Bueno!, ¿y qué hay con eso? Me parece que no hay que asustarse por tan poco... Yo no soy el primero que haya olvidado sus juramentos por seguir sus gustos. Ni el último, tampoco... Así es el hombre, caballeros, y hasta el más pintado, si no es un hipócrita, confesará que ha sabido olvidarse muchas veces de sus buenas intenciones —de las que no había desembuchado por lo menos—, para dar satisfacción a lo que le tiraba más.

Esto es sin vuelta. Lo que hay, es que algunos saben pararse a tiempo, o tienen maña o baquía para hacer lo que les da la gana, a la mosca muerta, sin que nadie diga nada. ¡No, y de no!

Unos juegan y se maman en los clubs, sin dar que hablar y pelean en los duelos, a vista y paciencia de los policianos, y hacen lo mismo que hice yo, y peor, que, como ellos lo hacen no parece tan malo y nadie les saca el cuero...

En fin, ¡qué tanto seguir a usted p'a decir cómo le va! El caso es, que el droguis y la jugarreta, me volvieron a agarrar de lo lindo, y como, de zonzo, sabía jugar bastante en trinquis, ¡todo el mundo me aprovechaba como a una criatura! Así se fue, detrás de la platita guardada, el campito de Carolina. ¡Pero qué agarrada la de ese día santo Dios! La gringa –¿querrán creer?– hasta me arañó la cara, que anduve una punta de días medio cebruno...

–¡Mirá, gringa! –le grité–. ¡No sabés lo que hacés! ¡El día menos pensado, ya verás!...

Le iba a soltar lo de que no estábamos casados, pero caí en la cuenta de que con la rabia era capaz de no firmar la escritura y hasta de echarme de la pulpería... y ¡como un poste!

–¡Si yo hubiera sabido! –gritaba la gringa–. ¡Si yo hubiera sabido! *porca la*...

Y se agarraba de los pelos. Pero firmó...

¿A qué decirles que los pesos del Banco de Italia ya se habían ido por un camino? Quedaba la pulpería... pero casi tan pelada como la misma palma de la mano... ni un frasco, ni una pilcha. Yo me preguntaba muchas veces cómo se lo había llevado todo pateta, sin atinar con tanto bochinche, hasta que caí en la cuenta de que la Carolina, con sus lloriqueos y rabietas al botón, descuidaba el negocio y lo dejaba ir barranca abajo...

Entonces quise remediar yo solo las cosas, compré mucho al fiado, y principié a medio querer arreglar el boliche... Pero, la verdad: el ginebrón y las barajas, con la yapa de la taba y de los gallos, hicieron que de repente comenzaran a llover demandas y más demandas, toda una papelería. El alguacil no hacía más que viajar del Pago a La Polvadera, como conchabado... Y no teníamos adónde buscar madre que nos envolviera ¡ni el zaino, que de la rodada quedó manco del encuentro!... Entonces me acordé de lo que sabía decir el viejo ño Cipriano:

–¿Ande irá el guay, que nu are?

La desgracia me había perseguido siempre; ¿por qué me había de dejar entonces?

Carolina comprendió que estábamos más fregados que unos atorrantes, que nos iban a vender la pulpería para cobrarse, que no nos quedaba ni un cobre, y un día, me armó una zafacoca. ¡Cristo santo!, ¡ni me quiero acordar!... Cebada con lo de los arañones, hasta agarró un palo, y principió a darme de garrotazos... ¡Como que éstas son cruces! ¡Una paliza!... ¡A mí!...

Yo, ¡qué quieren!, pelé el cuchillo, naturalmente sin intención de lastimarla; y sólo cuando me vio con él en la mano, se me separó, pero saltándole los ojos, y echando espuma por la boca. ¡Nunca la había visto tan rabiosa!... ¡Parecía una tigra!...

—¡Canalla! ¡Bandido! ¡Ladrón!... ¿De ese modo te acordás que me debés la vida? Devolvéme mi plata, *birbante, canaglia*!

Y yo, ¿cómo iba a dejar que siguiera diciéndome esas cosas, y hasta zurrándome como a una criatura?

—¡Mirá, Carolina! —le dije sin soltar el cuchillo—. Yo ahora me mando mudar y para siempre, ¿entendés? ¡Ya no te puedo aguantar más!

Se le cambió la cara, pero todavía siguió gritando e insultándome.

—¡Qué! ¿Te pensás ir? ¡Madona!, ¡después de haberme dejado desnuda y en la calle, canalla, sinvergüenza, ladrón! ¡Ah, no, *per Dio*! Sos mi marido, y tenés que quedarte aquí, a *trabacar* como yo, *porca la*...

Yo me reía a carcajadas.

—¿Y quién te ha dicho que soy tu marido? —le dije—. ¡Pues no hay tal! No sos más que mi querida.

—¡Mentís, canalla!

—¿Qué es mentira? ¡Sí!, andá, preguntáselo al cura y verás...

—El cura Papagna...

—¡Qué!, tu nápolis se ha ido hace un mes a *mangiar macaroni* en tu tierra... Andá, preguntáselo al nuevo, si hay apunte de tu casamiento en la iglesia...

Me miraba con tamaña boca abierta, sin querer creer lo que decía... De repente le pareció que debía ser cierto... Asustada, desesperada, loca, salió corriendo. Vi que se largaba a pie camino del Pago, en cabeza, con la ropa de entre casa... Seguro que iría a averiguar...

Yo saqué los pocos pesos que por casualidad había en el cajón, ensillé el maceta, ¡y si te he visto no me acuerdo! Agarré para otro lado, después de hacer pedazos el papel de Papagna, muy tranquilo y segurito de que no me iban a perseguir... ¡Qué!, ¿y se afligen por tan poco?... Pero fijénse, y verán que era muchísimo mejor para mí... y también para Carolina...

¿Que si tengo noticias? Si. Ayer supe que estaba perfectamente: de enfermera en el hospital del Pago.

CHAMIJO

I

Es muy interesante la historia entera del divertido y simpático bribón español Pedro Chamijo, "el falso Inca", cuyas aventuras aquende la Cordillera relatamos años ha. Así, pese al tiempo transcurrido, hoy nos entra comezón de escribir, no su segunda parte (pues harto sabido es que "nunca segundas partes fueron buenas"), sino muy al contrario, la primera, la inicial, la que en aquel entonces —quizá por falta de información— dejamos en el tintero. Y esta segunda parte de la historia de Chamijo (que es en realidad la primera), o esta primera parte (que es editorialmente la segunda) tiene por animado teatro —salvo un intermedio en la Argentina y otro en Chile— al Perú de principios del siglo XVII, el Perú de los virreyes, el Perú de las riquezas fabulosas y del perpetuo holgorio.

Chamijo, que hasta entonces (contaba a la sazón veinticinco años), después de largo vagar por aquellas tierras, entre indios cuya lengua aprendió a maravilla, y de una estancia bastante prolongada en el turbulento Potosí, había tenido que contentarse —o descontentarse— con ser simple soldado, acababa de desertar de una lejana guarnición, campo miserable, fastidioso y estrecho para sus grandes facultades. La Ciudad de los Reyes era excelente refugio de bribones y buscavidas, gracias a la turba que en ella remolineaba atraída por su riqueza y en cuyo torbellino podía disimularse maravillosamente un aventurero más. Y Chamijo estaba, por lo tanto, en Lima.

No había llegado solo. Acompañábalo una chola, con quien se unió en Potosí, muy joven y bonita, criada en una casa señorial y escapada poco antes de la de San Juan de la Penitencia, de Lima, reformatorio de menores donde se la encerró, niña aún, para corregir sus inclinaciones, desde temprano harto licenciosas.

Difícil sería averiguar —pasados ya tres siglos— el cuándo y el cómo Pedro Chamijo (andaluz huérfano de padre y madre, libre de toda traba, venido a las Indias de contrabando y desertor de una tropa que se comía los codos) se vio con las ropas de caballero que vestía y con las doblas —escasas, es verdad— que llevaba en la faltriquera. Supongamos que, al ver su despejo, su garbo, su buena cara, y sus insinuantes maneras, algún desprendido protector ocasional —en el Perú abundaban los manirrotos generosos como jugadores— quiso ayudarlo y facilitarle la entrada en la corte vicerreal, dándole dineros y vistiéndole decorosamente. Supongamos, sino, que entre la guarnición desertada, y la Ciudad de los Reyes, topó Chamijo con la oportunidad de dar un buen golpe de mano y no la dejó escapar —aunque los procederes violentos no cuadraran a su carácter, como lo demuestra su vida ulterior. O supongamos, por fin, con cierto rubor, que Carmen —la linda chola se llamaba Carmen— había compartido con él los recursos que sabría lograr por sus propios medios y méritos, sin molestar a nadie —¡al contrario!—; suposición enfadosa, pero verosímil y hasta muy probable, según lo que después se vio.

Habían llegado juntos, pero no andaban juntos, pues esto hubiera contrariado los planes que el mozo traía. Reuníanse en público, sí (era menester que, cuando menos, se les supiese amigos) ; pero después de estas aparentemente fortuitas exhibiciones, cada cual tiraba para su lado: Chamijo, hacia algunos de los garitos que frecuentaban hidalgos y aventureros; ella a los paseos y las fiestas populares, o recatadamente a la posada tras de cuya reja era su lindo palmito liga de atrapar incautos.

Mudando de traje, Pedro Chamijo había mudado de nombre, y en garitos, tabernas y estrados de medio pelo hacíase llamar don Pedro Bohórquez Girón, hidalgo de nobilísima sangre, y a cada triquete se disponía a exhibir sus pergaminos, despertando alguna sospecha con tanto alardear de blasones. Parece, sin embargo, que tales pergaminos existían, sólo que su verdadero dueño fue un mancebo muerto en Potosí, a quien Chamijo heredó *motu propio* y sin intervención notarial. Sea como sea, llenábasele la boca como suele decirse, con los nombres y títulos de sus derechos pasados y presentes: don Pedro Téllez y Girón, conde de Ureña, duque de Osuna, grande de España de primera clase, virrey y capitán general que fue del reino de Nápoles; don Juan Téllez Girón, primogénito de éste, que le sucedió; don Pedro, su nieto, virrey y capitán general del reino de Sicilia, y otros innumerables parientes —sin que faltaran las hembras, indicio de doméstica intimidad y estrecho contacto de familia.

Estos desplantes convencían a los cándidos, cuya credulidad contagiosa fue persuadiendo a los demás, nada interesados en establecer la legítima personería de un mozo apuesto y alegre, comedido y bien pergeñado de ropas y dinero, cuyas pretensiones no le perjudicaban y que era camarada agradabilísimo. En Lima sólo se hilaba delgado con quienes podían hacer algunas sombras a las ajenas ambiciones. Con prudencia, para no matar la gallina de los huevos de oro, Pedro Chamijo o Pedro Bohórquez Girón, valíase, entretanto, de sus mañas en los garitos para conservar y aun acrecentar moderadamente su escaso peculio, y mantenerse con el decoro exterior necesario a sus fines. Otros fulleros olfatearon inmediatamente que era lobo de la misma camada, pero la lealtad profesional les hizo callar, con tanta mayor razón cuanto que no veían en el advenedizo a un competidor temible. Y los pichones nacieron para ser desplumados; no iban a quejarse de las pocas plumas que el mozo les arrancaba, y que, en aquella época fabulosa, una sola hora de trabajo de los indios en las minas podía compensar ciento y más veces.

Mientras el mancebo ensanchaba el círculo de sus bien o mal colocadas relaciones, la linda chola iba, por su parte, haciendo lo mismo, pero con más rapidez; tanto que, a poco andar, no había en Lima moza de su clase tan cortejada como ella. Y como es uso entre los miembros de esta solicitada pero no venerada cofradía, jactábase la picarona ante sus amigos accidentales, de alcanzar, si lo quisiera, elevadísima posición, con sólo seguir a un hombre destinado a ser el más rico del Perú, pues poseía el secreto de las Indias, además de conocer minas estupendas y nunca vistas, en las que no había sino bajarse para recoger una fortuna. Con bien fingida candidez, como si cometiera involuntaria indiscreción, escapábasele en estos últimos coloquios el nombre de Bohórquez, que su interlocutor retenía, según el secreto deseo de la embaucadora.

II

Lima, emporio ya de riqueza, no era todavía una gran ciudad donde los rumores interesantes o escandalosos tardan en propalarse; pese a los templos magníficos y a las casas señoriales que, edificados con piedra de Guasco, empezaban a adornar sus rectas y polvorosas calles refrescadas por las acequias, a sus conventos, a su Universidad de San Marcos, al plantel, en fin, de lo que sería poco después, era una gran aldea, una especie de vasto parador o mesón improvisado y lleno de viajeros curiosos, entre quienes la menor nueva corría con la rapidez del relámpago; una heterogénea reunión de señores, hijosdalgo, magistrados, clérigos, frailes, ministriles, estudiantes aventureros, damas, mujeres del pueblo, mozas de partido, sin contar a los indígenas avizores, cautos y rencorosos, a los mestizos entrometidos y devorados de ambición, a los negros esclavos, presentes en todas partes, viendo y oyéndolo todo, como el perro familiar, pero menos fieles y secretos...

Con esto queda dicho que Bohórquez Girón pasó a poco andar por hombre llamado a altos destinos, y desde ese momento no faltó quienes le rodearan, agasajaran y adularan, esperando sacar provecho de su futuro encumbramiento. Entre estos cortesanos de la primera hora, Chamijo pareció distinguir y preferir a un don Leoncio de Mendoza, deudo lejano, a lo que decía, y muy pobre a lo que se veía, del virrey del Perú, don Jerónimo Fernández de Cabrera, Bobadilla y Mendoza, marqués de Chinchón. Un encuentro íntimo y fugaz con Carmen había confirmado a don Leoncio de Mendoza las noticias oídas aquí y allá sobre los valiosísimos secretos de que el caballero Bohórquez era poseedor, y éste mismo, obedeciendo luego, según dijo, a los impulsos de vivísima amistad, llegó a hacerle ver, bajo el sello de la más estricta reserva, algunas pepitas de oro como garbanzos, y aún mayores, varias piedras negruzcas con vetas visibles de plata, y diversas joyas toscamente labradas a la manera de los indios, e incrustadas con profusión de piedras preciosas.

—Estas pepitas —explicó Bohórquez— vienen de un río que las arrastra en abundancia y que corre sobre arenillas de oro. Estos minerales de plata son de un cerro perdido en medio de la Cordillera, pero muy accesible, que no siendo tan grande como el de Potosí, resulta sin embargo, mucho más rico, pues todo él es una masa de metal sin desperdicio ni escoria, o poco menos. En cuanto a estas joyas, insignificantes en sí mismas, representan inmenso valor, pues son simple muestra de las que hinchan materialmente una ciudad de los Incas de la que todos hablan, pero cuya situación nadie ha descubierto aún... excepto yo, que ocultamente y corriendo graves peligros, la he visitado y visto sus riquezas... Pero ¡por lo que más queráis, don Leoncio!, que este secreto no llegue a oídos de nadie, y particularmente a los del virrey, quien podría obligarme a revelárselo y quitarme así lo que es mío y sólo mío.

—Mal conocéis, pues tal decís, a mi deudo el marqués —replicó don Leoncio de Mendoza, que se tenía por listo—. Incapaz de quitar a nadie lo que es suyo, más bien os ayudaría a tomar, si fuera preciso, posesión de lo vuestro... pues si habéis corrido peligro al descubrirlo será seguramente porque no lo tenéis tan en la mano...

—Así es —dijo el mancebo—; pero de nadie me fío sino a ciencia cierta, y si lo hago con vos es por la grande amistad que os tengo.

Juróle el de Mendoza que no debía recelar de él, que era su amigo, ni del virrey, que, bajo condiciones muy aceptables por lo ligeras, le proporcionaría todo lo necesario para incautarse de las riquezas en cuestión, tanto de la ciudad, cuanto del río y la montaña. Y Chamijo, cediendo al fulminante amor que a don Leoncio profesaba, desinteresado y franco, acabó de revelarle su secreto y le prometió buena parte de los tesoros si le ayudaba en la empresa de recogerlos... porque casi no hacía falta más que recogerlos. En cuanto al virrey, si convenía realmente en auxiliarlo respetando sus derechos, parecíale justo cederle la mitad o los dos tercios de cuanto se alcanzara, por mucho que esto fuere... Y sería mucho, una fortuna incalculable, aunque sólo se contara lo que había en la ciudad. Esta era, ni más ni menos, la llamada por el vulgo el Gran Paitití, o sea el Gran Padre Blanco, y la habían creado los Incas, para seguro refugio en caso de necesidad, desde que se oyeron los pasos de los españoles en tierras de Indias. Antiguas profecías anunciaban la venida de extranjeros que se apoderarían del país y, previendo desgracias, los Incas se habían apresurado a erigir esa nueva especie de Torre de Babel para salvar en ella, junto con su persona y la de sus hijos, todo cuanto tenían de más precioso. Misteriosamente, borrando sus huellas a medida que pasaban, lograron construir la ciudad en un lugar a su juicio inaccesible, proveerla de víveres, ocultar en ella grandes riquezas, dotarla de crecida y valerosa guarnición y mantener todo esto tan callado, gracias a la ciega obediencia de sus súbditos y a los terribles castigos con que amenazaban cualquier indiscreción, que nadie sabía palabra de esa octava maravilla, salvo los incorruptibles encargados de su custodia. Desgraciadamente para los Incas, la invasión y la conquista de los españoles fue tan rápida y decisiva que no les dio lugar a instalarse en su nuevo reino, dejándoles a merced del vencedor. Sólo un hermano, o un tío del Inca reinante, encargado del gobierno de la ciudad, había quedado en ella, y era al que llamaban Padre Blanco, no por el color de su tez, sino por el de sus vestiduras.

Bohórquez y Mendoza acabaron poniéndose de acuerdo. Este último hablaría con el virrey y obtendría una audiencia secreta para establecer y convenir las condiciones del negocio en todos sus detalles...

III

—¿Y qué piensas hacer si el virrey te envía en busca de la ciudad? —preguntaba Carmen aquella noche—. No me parece que puedas hacerla brotar de entre la Cordillera, y, por consiguiente, no te arriendo la ganancia...

—No te aflijas por eso —contestaba Chamijo—. Tenemos tiempo de sobra por delante, y héteme convertido en gran señor... Ensayaré uno de los derroteros... Después vendrá lo que Dios sea servido, y muy torpe seré si no acierto a salir con bien de la jornada... Vea yo al marqués, créame él, y ya tenemos holgorio para rato.

Viólo, en efecto, llevado a palacio por don Leoncio de Mendoza, creyóle cuanto decía el virrey don Jerónimo Fernández de Cabrera, y don Pedro Bohórquez Girón, antes Pedro Chamijo a secas, comenzó a nadar en la abundancia. En ella seguía nadando a la hora de ponerse en acción.

Salió de Lima escoltado por veinticuatro arcabuceros para apoderarse por sorpresa del Gran Paitití. Vestido como un señor montaba magnífico potro, adquirido a mucha costa, y era blanco de las miradas envidiosas o admirativas de cuantos le veían pasar —admirativas de la plebe, envidiosas de algunos hidalgüelos a quienes no había querido hacer partícipes de su fortuna, y que olfateaban pero no sabían a ciencia cierta la empresa que iba a acometer. Algo de esta envidia despertaba el de Mendoza, que acompañó buen trecho al flamante capitán y le abrazó muy conmovido al separarse.

Carmen también se despidió del mozo a la puerta de la Ciudad de los Reyes, del lado de la montaña. Llevaba sus mejores galas, resplandeciente como una imagen, duros de anillos los dedos, alargadas por el peso de los pendientes las sonrosadas orejas, envuelto varias veces el redondo cuello por un sartal de perlas, airosa y hermosísima con su basquiña de amplio vuelo ceñida a la cintura, su mantilla de encaje, su media blanca, su menudo zapatito: daba ganas de ponerla en un altar... Quedábase pesarosa, acongojada por los presentimientos, y —según lo dijo en quechua, para que no la entendieran los soldados— abandonaría gustosa fiesta y triunfos por no separarse del mancebo... Pero era preciso que alguien guardase a éste las espaldas. Con próspera o adversa fortuna, ya se reunirían a la vuelta y para siempre.

Al lucido pelotón de arcabuceros seguía un centenar de indios cargados con la impedimenta, y la columna tomó a buen paso el camino de la montaña, internándose luego en ella. Pero los bríos de las primeras etapas no duraron mucho, pues si los indios sobrellevaban sin quejarse y masticando hojas de coca las molestias de la marcha por terrenos abruptos y difíciles, y Chamijo iba tan campante en su fogosa cabalgadura, los españoles sudaban el quilo y se destrozaban los pies entre reniegos y maldiciones, y llegaron harto mohinos a la aldea de Tarama (Tarma), que está a tres mil metros de altura en el valle de Chanchamayo y a orillas del río que lleva el mismo nombre. Aunque sólo hubieran andado setenta u ochenta leguas, creyeron que aquel sería el término de su viaje; pero aun cuando la región abundara al parecer en minerales de plata y también tuviera azogue, los indios del valle sólo poseían mezquinos adornos de metal, y bosques y otras riquezas no interesaban a los expedicionarios.

—No es esto lo que buscamos —dijo Bohórquez a los que demostraban su descontento con impertinentes preguntas—. Vamos a una gran ciudad colmada de riquezas, pero aún está lejos... quizás muy lejos. La recompensa, en cambio, será mucho mayor que todas nuestras fatigas.

Bueno es decir aquí que él mismo no creía su patraña desprovista de toda verdad; muy al contrario... Tanto había oído hablar en sus continuas correrías de las riquezas ocultadas por los Incas, de una ciudad portentosa erigida tierra adentro, en mitad del continente, quizás en pleno Brasil, que no ponía en duda su existencia; de lo que dudaba era de acertar con su derrotero, adoptado al azar entre los ciento, los mil a que se referían misteriosamente indios y cristianos, de uno al otro extremo del Perú.

Ya con ciertos síntomas de descomposición, reanudó su marcha la columna para llegar, casi abiertamente descorazonada, á orillas de la Cinchaycocha, inmensa y profunda laguna rodeada por pampas sin vegetación, que se halla a algo mayor altura que el lago Titicaca. Allí se acompó, se descansó como se pudo, comiendo de lo que llevaban a prevención los indios de carga, y en seguida a regañadientes, los arcabuceros tomaron rumbo al norte, siguiendo cada vez de peor gana a su caudillo, cuyas intenciones eran alcanzar el Marañón, embarcarse y seguir aguas abajo, internándose en el Brasil. Pero al llegar a Mayobamba, miserable aldea escalonada en las alturas, a sólo veinte o treinta leguas del río a que Chamijo se encaminaba, el descontento de su gente estalló en forma de motín. Los arcabuceros no querían seguirle, los indios habían ido desgranándose, imposibilitados los unos, desertores el resto, y don Pedro Bohórquez Girón llegó a temer por su vida ante la irritación de los españoles. Suerte fue que, advenedizo de reciente data, no había perdido aún sus hábitos soldadescos; su llaneza de pícaro entre pícaros, y, viendo en él más a un camarada que a un jefe, los soldados no le querían mal, aunque se negaran resueltamente a obedecerle y su afecto no llegara al extremo de dejarle el magnífico caballo. Quedóse solo, con cuatro o cinco indios que eran sus servidores inmediatos, pues cada cual se marchó adonde quiso, desafiando las penas inevitables si aquéllos fueran tiempos más disciplinados.

También Chamijo emprendió el regreso a pie, gachas las orejas, mustio y descorazonado. Carmen lo atraía irresistiblemente a la Ciudad de los Reyes, la última en quien debiera pensar después de su fracaso. Y hacia ella se encaminó y en ella entró, por fin, después de fatigas y penurias sin cuento, vestido de harapos, muy otro del que saliera triunfante meses atrás despedido con el fuerte abrazo del hidalgo don Leoncio de Mendoza, primo, o tío, o sobrino del señor virrey, y con las lágrimas y los besos de la linda Carmen, tan guapa y cubierta de joyas que daba ganas de ponerla en un altar...

IV

Transido por la niebla, que le envolvía como una sábana húmeda, haciéndole tiritar bajo sus harapos —Chamijo llegaba esta vez hecho realmente un "girón"—, se internó al caer la noche en las calles desiertas de Lima buscando el abrigo que sólo Carmen le podía proporcionar. La chola se había mudado de casa y sabe Dios lo que le costó saber dónde vivía a la sazón. Mejor hubiera sido no saberlo, pues la mudanza de su amante no sólo había sido de vivienda, sino también de inclinaciones. Recibióle poco menos que como a un extraño, fría y desdeñosa, demostrándole desde el primer momento que le molestaba, que caía muy mal.

—¡Bueno está el virrey contigo! ¡Bueno está Mendoza! Desde que supieron tus hazañas por un arcabucero que volvió hecho una miseria, se han puesto furiosos, y particularmente el marqués, quien jura que has de pagarle bien cara tu engañifa... Te aconsejo que no te muestres, si no quieres dar de cabeza en la cárcel y sufrir una de azotes de padre y muy señor mío, porque el de Chinchón ha husmeado también que lo de Bohórquez y demás es de mohatra, y que si algo te llamas es Pedro Chamijo, mondo y lirondo, sin arrequives ni hidalguías.

—Ya me lo imaginaba —contestó el menguado—. Por eso vengo a deshora, pidiéndote amparo y refugio... Pero voy viendo que hice mal en pensar que me acogerías con el cariño de antes... Vives en una especie de palacio, vas puesta como una princesa, algún gran señor te protegerá, y, naturalmente, ya no tienes más que desprecios para mí. ¡Mal rayo! ¡Ea!, me voy, que aquí no hago falta ni tú mereces que mi amor te suplique.

Enterneciόse un poco la moza y dijo:

—No es lo que crees, no... es que quiero cambiar de vida... Así me lo aconseja un anciano oidor... ¡No imagines!, es como un padre para mí; me trata como a hija..., me tiene en andas, me deja hacer lo que se me antoja, y en cambio ¡ni esto!, ¿oyes? ¡ni esto como éstas son cruces!

—Será lo que sea —murmuró Chamijo, incrédulo pero resignado, porque no tenía los alimentos ni la costumbre de indignarse con la chola por pecados que antes le fueron tan útiles—. El caso es que me muero de necesidad y de frío, que no tengo ni amigos, ni ropas, ni casa y que como tú dices el temperamento de Lima no es hoy muy sano para mí... Fallándome tú todo me falta pero ¡qué remedio...! ¡Aguantarse y que Dios me ayude por esos mundos! ¡Adiós!

—¡Escucha, escucha! No te marches así, desgraciado. Toma y vete en paz, que no he de olvidar lo felices que hemos sido en otros tiempos de inocencia... Pero, por tu vida, que no te quedes en Lima, si tienes lástima de tu pellejo.

Dióle un bolso no mal provisto de monedas de plata, y riendo como en sus mejores días, lo despidió burlona, con la amenaza del virrey, del oidor, de la Audiencia, y hasta de la Santa Inquisición que según ella, se la tenían jurada por embaucador y charlatán.

Con aquel viático y sus malas artes, Chamijo alcanzó no sólo trasponer la Cordillera, sino también a cruzar el continente y llegar al Río de la Plata. Menos de un año después de salir de Lima se le veía en Buenos Aires, pequeña ciudad, o gran lugarón de cuatrocientas casas en las que con el título de gobernador, mandaba un don Francisco Céspedes, y donde Chamijo pensó que no podría hacer gran cosecha, dado su pobre aspecto. La llamada pomposamente ciudad de la Santísima Trinidad y puerto de Santa María de Buenos Aires alzábase en un ángulo de tierra algo elevado, entre un río semejante a un mar y un riacho que desembocaba en él a cosa de un cuarto de legua. No tenía fortificaciones, ni murallas, ni foso, ni nada que la defendiese, salvo, en la misma ribera, un fuertecillo de terrón armado con diez cañones de hierro y rodeado por una mala zanja y sobre el riacho, que llamaban Riachuelo, un baluarte con tres cañoncetes de solemnidad. Las casas correspondían a la pobreza franciscana de la defensa y eran de un solo piso, bajo, hechas de barro y con techos de paja y cañas, que llegaban a la mitad de la calle, dificultando el paso de carretones y jinetes; y de barro era también la misma iglesia matriz erigida en Catedral pocos años antes, cuando fue nombrado primer obispo fray Pedro de Carranza, carmelita y sevillano. Tan modestas viviendas tenían, como compensación, anchos patios con tiestos de flores, al modo de Sevilla, y detrás huertas de árboles frutales, hortalizas y legumbres. Las calles, por fin, tiradas a cordel, y cruzadas por otras perpendiculares, formaban damero más largo que ancho y eran pantanos cuando llovía, polvaredas cuando no llovía, y en el intervalo, cuando después de una lluvia soplaba como vendaval el viento seco de las pampas, minúscula reproducción de la cordillera de los Andes, con sus montañas, sus cerros, sus valles y sus abismos.

Pero, a poco andar, Chamijo advirtió que en el mal entrazado lugar aquel reinaba la abundancia, si no la profusión, que la manducatoria era baratísima, que hasta los mendigos andaban a caballo como hidalgos, que no era preciso trabajar para vivir, que en muchas de aquellas casas como barracones había muebles lujosos, colgaduras, pesada vajilla de plata y una nube de criados... En las horas frescas de la mañana y en las templadas de la tarde, al caer el sol por las mal cuidadas calles transitaba o se paseaba una población semejante a la de Lima, señores empingorotados, ministriles, canónigos, sacerdotes seculares, frailes dominicos, recoletos, franciscanos, jesuitas, gente del pueblo, blanca y barbada, esclavos negros y mulatos, semiesclavos indios y mestizos —la plebe sometida a una servidumbre que no debía de ser muy dura, a juzgar por el aspecto de los demás—, y todos hablando o chapurreando el español con marcado acento andaluz. Pocas mujeres vio en la calle misma, pero muchas a la reja, agitando con gracia el abanico y solazándose con el espectáculo del movimiento popular, pero unas y otras eran, en su mayoría, tan bellas en su género como las peruanas, de cutis moreno, cabello ondulado, negro como los ojos, pero de belleza menos provocativa y sensual que la limeña. Algunas, seguidas por negrillas esclavas, que hacían de dueña o rodrigón, recorrían las tiendas, de pobre aspecto, pero rebosantes de mercancías. Éstas eran pocas; las señoras en general, enviaban a sus criadas a comprar o a pedir muestras, y sólo salían para ir a la iglesia, de visita o alguna reunión familiar. Por la noche sólo cruzaba la calle algún empaquetado acudiendo a una cita o a las timbas vergonzantes en que se desplumaban aventureros y calaveras. De pronto, aquí o allá, una alegre serenata rasgaba el silencio.

V

Nada costó a Chamijo, aunque escaso de dinero, hacer hasta cierto punto la conquista de Buenos Aires, iniciendo algunas útiles relaciones, sobre todo entre la gente de rompe y rasga, frecuentadora del matadero, la plaza de las carreras, detrás del convento de Santo Domingo, las barrancas del río y otros sitios bulliciosos y alegres, donde solían reclutarse los hombres atrevidos que iban a tomar contrabando en la colonia del Sacramento, a la otra banda del río.

En algunas de estas expediciones, no tan arriesgadas como podría creerse, porque el comercio entero o poco menos, estaba interesado en ellas y las autoridades tenían que hacer la vista gorda, so pena de malquistarse con vecinos poderosos e iniciar tremenda lucha, tomó parte don Pedro Bohórquez Girón —porque, al trashumar, el bergante no había renunciado a su hidalguía de pega. Pero, como solía decirlo, esta ocupación, aunque de peligro, no era digna de su valor, ni de su linaje ni de sus facultades, y prefirió la holganza, el juego, los amoríos— tres oficios en que descollaba sin empañar su nombre, porque nadie era más noblemente haragán, ni mejor fullero, ni más buscado y mimado por las mozas de fortuna, merced a su señorío y gracia de buen mozo.

Sus travesuras de tahur provocaron entretanto más de un zipizape que dio el alerta a la justicia, y una desdichada aventura amorosa que le complicó en cierta ratería muy sonada, cometida por su coima eventual —una tal Rafaela—, dio en la cárcel de la "muy noble y muy real" villa de Buenos Aires con nuestro ya famoso don Pedro Bohórquez Girón.

En la lóbrega mazmorra que, para ser verídicos, era un cuartujo, o si se quiere pocilga, en las dependencias del fuertecillo, tuvo Chamijo tiempo sobrado de reflexionar y decirse que el de Buenos Aires —abundante en vituallas pero pobre en dinero— no era teatro adecuado a sus hazañas, y que más le valdría volverse al Perú, pues no sólo de pan vive el hombre y la gente de este lado miraba más por sus durejos que la de aquel otro, donde la plata acuñada corre a raudales, sin que nadie le haga mayor caso que al chorrillo de la cordillera... Nada podía oponerse a su regreso eventual, pues a su ex amigo el virrey don Jerónimo Fernández de Cabrera, Bobadilla y Mendoza, marqués de Chinchón, había sucedido el virrey don Pedro de Toledo y Leiva, marqués de Mancera, a quien no conocía, pero quien, afortunadamente, tampoco le conocía a él.

Para poner en planta este proyecto, que era sin duda el mejor, sólo le hacían falta dos cosas: la primera y más fácil, salir del calabozo; la segunda y menos hacedera, procurarse medios para el viaje. No se amilanó sino que encaró al propio tiempo ambos problemas y puso inmediatamente manos a la obra, engatusando a su carcelero y a los ministriles que lo interrogaban, con su maravillosa historia del gran Paitití, aumentada y perfeccionada. Tanto dijo que el señor corregidor Lizarasu, informado de sus noticias, le hizo conducir a su presencia y le interrogó a su vez. Era cuanto quería el buen Chamijo. No sólo cantó y cantó grandezas, sino que sacó un papel donde groseramente había trazado la carta de los misteriosos dominios del Inca, vastos territorios con aldeas y ciudades, campos fértiles, bosques poblados de caza mayor y menor, vergeles desbordantes de frutos exquisitos, prados de hierbas olorosas y medicinales flores, especias, cuanto Dios creó. Los innumerables detalles del mapa demostraban a todas luces su exactitud, y Lizarasu creyó en ésta, como creyó en la de cuanto se refería a los pueblos y ciudades llenos de objetos de oro y plata, de joyas, de pedrería...

—Por mi desdicha —concluyó hábilmente el pícaro— caí en desgracia con el virrey marqués de Chinchón y tuve que ponerme fuera de su alcance. Pobre y perseguido, señor, un hombre todavía mozo y sin experiencia, por fuerza cae en muchas tentaciones, pero puedo juraros que nunca falté al honor, aunque las apariencias me condenen. No tuve parte en el hurto cometido por la Rafaela, y que me ha llevado injustamente a la cárcel, y si jugué, ¡vamos! el juego es pasatiempo, y cuando mucho, pecado venial de caballeros que no por esto descienden a truhanes. El mal fundado enojo del marqués de Chinchón es el único causante de mis extravíos tan explicables y perdonables en la desastrosa vida que por fuerza llevo.

—¿Pero cuál fue el motivo de ese enojo? —preguntó Lizarasu profundamente interesado.

—Contra mis advertencias y contra mi voluntad —contestó Chamijo—, mandóme el virrey a descubrir y conquistar las bien defendidas tierras del Inca con un puñado de hombres, insuficientes para tal empresa. Se lo dije, y repetí mil veces, me negué a salir, pero él supo obligarme, y partí con veinticuatro arcabuceros como única tropa. No eran cobardes, pero en el camino supieron que corrían a una muerte cierta, se amotinaron, me robaron el caballo y cuanto llevaba conmigo, y volvieron a Lima contando mil patrañas que hicieron montar al virrey en terrible cólera contra mí. Quise defenderme con la verdad, sin cargar mucho a aquellos desdichados que, al fin, tenían razón de no exponer la pelleja en un lance inútil y forzosamente mortal; pero al acercarme a Lima supe que se me buscaba para prenderme y quizás ajusticiarme por traidor... Otro gallo me hubiera cantado, y al virrey también, si en lugar de veinticuatro arcabucetos me hubiese dado doscientos... ¡Hoy seríamos dueños del Paititi!

El corregidor no tenía nada de cándido, pero en aquellos tiempos era tan general y tan firme la creencia en ciudades y aun en reinos maravillosos que existían en comarcas desconocidas de América, que no puso un momento en duda las patrañas de Chamijo, antes bien, compadeció a éste, condenando la actitud del virrey al no darle, por el empecinamiento y ceguera, los soldados necesarios para el feliz remate de su expedición. Pero, alegróse, por otra parte, pensando que el fracaso de la tentativa patrocinada por el de Chinchón le permitiría tomar a él fructuosa parte en otra más feliz. No lo confesó al aventurero, pero éste comprendió inmediatamente al ver que la actitud de Lizarasu se convertía de áspera en benévola y hasta afectuosa.

—Comprendo esos pecadillos de la juventud —dijo el corregidor—. Yo también he sido mozo, y aunque nunca llegué tan lejos, más de una vez fallé por debilidad y aturdimiento. No culpo al virrey; pero quizás haya sido demasiado prudente, y la excesiva prudencia suele ser tan peligrosa como la audacia excesiva... ¡En fin!, veremos de arreglar todo esto.

Por lo pronto Chamijo no volvió a su mazmorra, pues el corregidor mandó que le llevaran a su propia casa y le instalaran en un aposento, pequeño pero aseado y decoroso, que sería su cárcel mientras él no dispusiera otra cosa. Deseaba tenerle bien a la mano para interrogarlo a fondo, en interés de la justicia... y de su propia ambición. Y le visitó con tanta frecuencia en su cuartujo que fue como si vivieran en común. Chamijo desvaneció todos sus recelos, y le mareó con sus embriagadoras descripciones. Lizarasu, conquistado, acabó por dejarlo en plena libertad, darle algún dinero para sus gastos menudos y ponerse a escribir con él dos largos memoriales, dirigido el uno a S. M. el rey Felipe IV y el otro al Consejo de Indias, instalado en Cádiz, ambos sobre la positiva existencia del Gran Paitití y la posibilidad de agregarlo a la corona de España, siempre que el soberano y su gobierno suministraran los primeros recursos en hombres y dinero para acometer la empresa que iría a golpe seguro, capitaneada por quien conocía como a sus manos la maravillosa ciudad de los Incas, como que la había visitado y estudiado muchas veces y con todo detenimiento. Éste, don Pedro Bohórquez Girón, se comprometía a realizar la estupenda conquista casi sin perder un hombre, con tal de que le dieran tropa suficiente para imponer respeto y amedrentar a los indios, que eran muchos y valerosos pero que no osarían oponerse a doscientos españoles aguerridos...

VI

De todo lo cual resultó que, poco después, mientras Lizarasu juntaba paciencia para la espera indefinida de contestación a sus memoriales enviados a España, Chamijo, dueño de algún dinero, en parte dado por el corregidor, en parte amañado con dados y naipes, montó en un caballejo y corrió a incorporarse a una tropa de carretas que algunos días antes había tomado el camino de Tucumán.

Reapareció en Lima, meses más tarde, con la mayor frescura, dispuesto a reanudar o mejor dicho, a repetir sus manoseadas intrigas. No tenía por qué forzar el caletre en la invención de otras, pues las primeras servían admirablemente, eran de probada eficacia y habían de renovarse a intervalos durante cerca de dos siglos todavía. ¡Y quién sabe si hoy mismo, a fines del primer tercio del siglo XX un embaucador genial no lograría arrastrar a centenares de accionistas cándidos —o diestros o sin escrúpulos en el juego de bolsa— y levantar capitales para el descubrimiento y conquista de un nuevo Eldorado, de un nuevo Paitití, ubicándolo en algún rincón de los pocos que en la tierra no se han explorado todavía!...

Carmen, la linda chola, después de brillar como astro de primera magnitud en las alturas de la galantería fácil, había desaparecido de pronto, a raíz de un escándalo en que hizo cómica figura el patriarcal oidor que la protegía. Ignorábase dónde había ido a parar, y Chamijo no dio con sus huellas aunque hiciere prolijas averiguaciones en el mundo del holgorio: para unos, en ello andaba la mano del virrey; para otros, la muy larga y terrible de la Santa Inquisición. A quien encontró, sin quererlo, fue al deudo del ex virrey, don Leoncio de Mendoza, más pobre y desamparado que nunca; el de Chinchón, que le tendió la mano muchas veces, pero sin sacarlo nunca definitivamente de los atolladeros en que se metía, ni darle una prebenda que le pusiera al abrigo para siempre de la necesidad, no podía prestarle ni siquiera la involuntaria protección de su parentesco, la sombra que su nombre ilustre, y el infeliz mantenía a duras penas, una apariencia decorosa. Contra lo que temía el aventurero, don Leoncio le puso buena cara y hasta afectó reírse de la candidez de su noble deudo en lo referente al Paitití, pero Chamijo, muy grave, le reprochó su actitud: ¡alto ahí! él no había querido engañarlos; cuanto les dijo fue siempre la purísima verdad; el reino oculto de los Incas era tan cierto como el sol que nos alumbra; el marqués de Chinchón y el mismo Mendoza lo habían condenado sin oírle, prestando fe a las calumnias de los miserables desertores que lo abandonaron cuando el éxito estaba a punto de coronar su empresa... Pero iban a amanecer días mejores, y ya vería el de Mendoza cómo su amigo era inocente de toda falsedad, y lo hubiera hecho poderoso de la mañana a la noche, con poco más que la suerte le ayudara. Creyó don Leoncio o fingió creer por conveniencia las categóricas afirmaciones de Chamijo; no tuvo a menos mostrarse con él en todas partes, y hasta le facilitó el medio de persistir en sus planes, presentándolo con calurosos elogios a don Antonio Sebastián de Toledo, mozo muy considerado y de mucho valimiento en la Ciudad de los Reyes.

Era don Antonio nada menos que el hijo y secretario del nuevo virrey, nombrado en 1639, don Pedro de Toledo y Leiva, primer marqués de Mancera, teniente general de las galeras reales. El andaluz conquistó desde el primer momento al hijo del virrey afectando una gravedad no enteramente desprovista de gracia oportuna y mesurada, gravedad de hombre de buen entendimiento, aleccionado por el infortunio, pero que no ha perdido por completo ni la esperanza ni la alegría. Mostróse reservado cuando el de Mendoza aludió al gran Paitití, limitándose a decir que era empresa guardada para corazones bien puestos, pero en la que fracasarían siempre los pusilánimes y los que no tuvieran confianza en sí mismos ni en los demás que la merecieran. Y durante algún tiempo rehuyó con don Antonio de Toledo toda conversación acerca de la milagrosa ciudad incaica, acuciando así hasta el extremo su curiosidad y su interes. Sólo entonces, considerándole bien a punto, habló, relató cómo había descubierto el secreto cierta vez que, extraviándose en un viaje, la casualidad lo condujo al Paitití, de donde escapó milagrosamente, librándose de una muerte segura gracias al amor y al heroísmo de una india, hija del jefe de la guarnición, quien le hizo huir disfrazado de chasque o mensajero conduciéndolo ella misma hasta la frontera, por entre riscos y peñascales. Contó también su expedición, malograda porque el virrey Fernández de Cabrera no había querido darle los hombres ni los pertrechos y víveres necesarios, y por la indisciplina y falta de constancia de su gente, afeminada por las blandicias de la vida de ciudad... Acabó el embrujamiento de don Antonio mostrándole el mismo plano de que se había servido en Buenos Aires para conquistar a Lizarasu, y ya le tuvo por suyo...

VII

No le faltaba razón, porque don Antonio se apresuró a comunicar a su padre el virrey cuanto el andaluz acababa de decirle, incitándole a tomar la empresa por su cuenta, de mancomún con Chamijo. El marqués de Mancera fue fácil de convencer. Envolvía al Perú, desde la conquista primera y desde el descubrimiento de las estupendas minas de Potosí más tarde, una atmósfera de prodigio, que forzaba la credulidad de cuantos en él vivían, sin exceptuar a los que pasaban por más incrédulos: éstos podían no creer en Dios ni en el Diablo, pero naturalmente creían en tesoros ocultos y ciudades misteriosas. ¿No se encontraban a cada paso huacas repletas de objetos preciosos, joyas y pedrería? Don Pedro de Toledo y Leiva aceptó, pues, entusiasta, las indicaciones de su hijo y secretario, llamó al pretendido Bohórquez y capituló con él. Quedó convenido que le daría cuarenta españoles –no los doscientos que Chamijo pretendía, por estar harto escasos de soldados–, quinientos indios auxiliares, aptos para llevar impedimenta y para combatir, veinte caballos, que importaban considerable suma entonces, algún dinero para el caso poco probable de necesidad en los desiertos que iban a cruzar, y abundantes vituallas para el sostenimiento de las gentes en las regiones donde no se pudiera vivir sobre el país. Bohórquez Girón, por su parte, cedía al marqués de Mancera los dos tercios –quitado antes el quinto del rey– de cuanto descubriese y conquistase así en tierra como en oro, plata, metales de valor, diamantes, piedras preciosas y demás, y para equilibrar el reparto del virrey prometió a Bohórquez Girón concederle a su regreso altos empleos y dignidades. Chamijo discutió empeñosamente el punto menos esperado: la participación que en la empresa había de darse a don Leoncio de Mendoza, por haber mediado en el planteamiento del negocio, y a quien correspondía cedérsela, sosteniendo que esa participación debía tomarse de la parte más crecida, es decir, de los dos tercios pertenecientes a don Pedro de Toledo. Cayeron de acuerdo en que éste y Chamijo cederían generosamente al de Mendoza la veinteava parte de cuanto a cada uno tocara —insignificante al parecer, pero cuantiosa fortuna en realidad. Si el virrey dudara todavía, esta acalorada discusión le hubiera convencido de la seriedad de la empresa que acometía y de la hidalga probidad y generosidad de Bohórquez Girón que, sin verse obligado a ello premiaba con tanta largueza los buenos oficios de un simple tercero.

Ahora no se achaque a falta de imaginación del cronista, metido estrechamente en el carril de la historia, la abrumadora semejanza de este episodio con el reciente de Buenos Aires y el anterior de la misma Ciudad de los Reyes, en tiempos del marqués de Chinchón. Como dicho queda algo más atrás, la patraña —o el ensueño— de Chamijo no había perdido su virtud fascinadora, ni la perdió en dos siglos más. Pero para no aburrir, lo relataremos a saltos y en pocas palabras. Los expedicionarios se dirigieron a la reducción de Fray Treviño, y luego vadearon el Chambamayo entre las últimas estribaciones orientales de los Andes. Indios belicosos trataron varias veces de cerrarles el paso, pero los españoles, aguerridos y con armas tan superiores, los acobardaron y obligaron al fin a que les dejasen el camino libre. Estas luchas, las dificultades casi invencibles que la naturaleza les oponía, la pérdida de casi todos los caballos y de muchos indios auxiliares, la escasez de los víveres en medio de las montañas fueron, sin embargo, quitando bríos a la tropa, sembrando en ella el descontento, invitándola, al fin, a acabar como la primera. Chamijo comprendió que estaba a punto de desconocer su autoridad, amotinarse y abandonarlo. Buscó entonces medio de salir del atolladero, y tuvo la idea de fundar una nueva ciudad, empresa que distraería y calmaría los ánimos, dándole tiempo para madurar sus planes ulteriores.

—El término de nuestra expedición no se halla muy lejos de nosotros —dijo a sus soldados— y podríamos llegar a él con algún esfuerzo. Pero por una parte llegaríamos harto maltrechos para combatir, y por otra la estación de las lluvias se nos viene encima y puede muy bien detenernos en mitad del camino. He resuelto, pues, daros un descanso tan prolongado como bien merecido, y fundar en estos parajes una ciudad que nos asegure para hoy y para en adelante el imperio de la comarca. Será una fortaleza a las puertas mismas del gran Paitití en cuya busca hemos venido, y en un país donde nada falta, ni bosques, ni frutas, ni agua, ni caza, sobre todo, metales... Los que quieran fundar una familia verán sus deseos cumplidos a bien poca costa pues por estos alrededores no faltan indios que vienen a las minas de sal de estos cerros, y sus hijas no son mujeres a las que pueda hacerse ascos, ni que los hagan a los españoles. ¡Ea, pues! Manos a la obra, que nos irá bien con ello. Mientras queramos, seremos ricos, libres e independientes de toda autoridad que no nazca de nosotros mismos.

VIII

Dio a la ciudad futura el nombre de La Sal, consagrándose gobernador y, para contentar a todos, nombró alcaldes, regidores, escribanos, alguaciles con tal profusión que casi no quedaba entre los cuarenta uno solo sin su correspondiente cargo o dignidad. Todos eran jefes y no hubiera quedado a quién mandar sino a los indios auxiliares que llevaban, y a quienes poco importó la nueva aparatosa organización social y política, pues continuaban tan esclavos como antes, sin haber cambiado de título siquiera.

Con sus propias manos y bajo la vara de los españoles, construyeron algunas chozas de terrón, cubiertas groseramente de paja, a los cuatro costados de un gran espacio vacío que se llamó pomposamente plaza, y la ciudad de La Sal quedó fundada por don Pedro Bohórquez Girón, y sus soldados convertidos de la noche a la mañana en magistrados, funcionarios y ciudadanos libres. Pero no había contado el fundador con la huéspeda; mejor dicho, con las huéspedas. En primer lugar, el señor alcalde empezó a decirse que bien podría ser gobernador; cada uno de los regidores pensó que, con justo título, debía ser alcalde; los escribanos, que eran dos, envidiaron a los regidores, y desaprobaron con cierta razón sus nombramientos, como que si a ellos se les hacía escribanos era precisamente porque sabían más que los otros, "incapaces de poner una carta". No se hable de los alguaciles, que sólo podían ser envidiados por los simples vecinos, ni de estos últimos, de quienes los naturales eran ya los únicos subalternos...

Estas pasiones dieron en un principio cierta animación, simulacro de vida pública, a la ciudad de La Sal, pero a poco, autoridades y vecindario se percataron de que, en realidad, todos eran iguales, de que el nuevo jefe seguía siendo el capitán, con un nuevo título de gobernador, y de que, si durante el penoso viaje padecieron las penas del Purgatorio en aquel descanso urbano se hallaban en el intolerable limbo del aburrimiento. Comenzaron a burlarse unos de otros, y de sí mismos, tomando para la befa sus dignidades de mentirijillas; y de las burlas se pasó al descontento, a la irritación, casi al motín. ¿Habían salido, acaso, para fundar una miserable aldea, en regiones desiertas, incomunicadas con el resto del mundo? ¿No iban a la conquista de una ciudad henchida de tesoros? ¿Habrían de quedarse allí, mano sobre mano, mientras sus compañeros de armas se enriquecían en cualquiera de los otros rincones del Perú? ¡Ni siquiera tenían para hacer menos triste su destierro las hermosas indias de que hablaba Bohórquez, pues no había vuelto a aparecer una sola por aquellos parajes!... Algunos amenazaban con desertar, ya lo hubiesen hecho si los grupos pequeños y los hombres aislados no corrieran tanto peligro en los desfiladeros de la montaña, frecuentados por los indios bravos... y por último, todos a una se presentaron al señor gobernador exigiendo que los librara de aquel marasmo, que los llevara al gran Paitití, aunque les fuera en ello la vida.

—Al gran Paitití es imposible por el momento —contestóles Chamijo, fingiendo una entereza que ya había huido de su ánimo—. Pero precisamente ya había yo resuelto conduciros, detrás del cerro de que se saca la sal, a otro muy cercano, y en el que abunda el oro a flor de tierra. En pocos días los indios recogerán raudales que satisfarán a los más descontentadizos... y en seguida, con mayor confianza, iremos derechamente al Gran Paitití, a cuya conquista no quiero ni puedo renunciar... Esto es como detenerse en mitad del camino a recoger una espiga, cuando al final está la troja henchida de trigo. Pero lo queréis... ¡Así sea!...

Salieron alborozados de la ciudad de La Sal, encaminándose al cerro como gente sedienta a quien el espejismo ofrece un oasis. Se despearon de nuevo en malezas y peñascales. No se dio con el oro ni con nada parecido. El furor estalló y todos exigieron que se volviera atrás. Chamijo les pidió que no se desesperaran, asegurándoles el éxito, pero le acometieron espada en mano, y le hubieran muerto a no ceder.

Cuando pasaban de vuelta junto al embrión informe de la ciudad de La Sal, fue tanta su renovada cólera que pusieron fuego a los techos de paja y a los toscos muebles improvisados que las chozas contenían... Y La Sal pasó a la historia como una simple errata de imprenta.

El regreso de don Pedro Bohórquez fue aún más triste

y de peores consecuencias que el anterior. En vez de ir a Lima, donde temía la cólera del virrey, se fue al Potosí, donde esperaba pasar inadvertido hasta que amainara la tormenta. Pero el marqués de Mancera no tenía nada de tierno, y en cuanto supo la historia mandó que se buscara por todas partes al embaucador y que se le trajera vivo o muerto.

IX

Codo con codo entró Chamijo en Lima. Don Leoncio de Mendoza, que esto supo, trató de salvarlo y puso en juego cuanta influencia tenía, agradecido a su generosidad para con él —aunque fuese aparente—, porque gracias a ella había entablado fructuosas relaciones con el virrey, que lo protegió en calidad de asociado suyo y deudo de su noble antecesor. Don Antonio de Leiva, víctima de los primeros desahogos de su padre, que le trató de inocente, de incrédulo y de tonto, muy humanamente olvidado de que tan tonto, inocente y crédulo había sido él —con las agravantes de su mayor experiencia y responsabilidad—; don Antonio, decimos, pidió misericordia para el pecador, según él más iluso que culpable. Pero el virrey no cedió ni a ese ni a otros ruegos, y cansado de recomendaciones, súplicas e importunidades, cortó por lo sano haciendo embarcar a Chamijo bajo segura custodia, en el puerto del Callao, y enviándolo —algo como castigo y mucho como venganza— al presidio de Valdivia, en los despoblados de Chile...

El alcaide, Bento da Souza, aventurero portugués, recibió junto con la persona de Chamijo la orden vicerreal de tratarlo severamente como reo de graves delitos (apropiación de dineros de la corona, depravación de costumbres, desconocimiento de la autoridad del virrey, corrupción de tropas bajo su mando y, tras de otros cargos, el crimen de lesa majestad de sedición para crear un nuevo reino —decían las instrucciones muy *secretas*) y cumpliendo la orden, encerró al infeliz en el peor de los calabozos, mientras la mayoría de los penados, mucho más criminales, no lo pasaban del todo mal... salvo los rudos trabajos a que se les sometía, las sórdidas pocilgas que eran su vivienda, la escasa y a menudo nauseabunda comida, la ausencia de todo contacto con el resto de la humanidad, la casi imposibilidad de huir, a causa de las cadenas, el desierto, el mar y el régimen de vara y vergajo, que servía tanto de estímulo si la fatiga los rendía cuando de castigo si olvidaban algún precepto reglamentario.

Pero Chamijo tenía, como ya sabemos, el don de la seducción, y lo ejerció eficazmente con la única persona que iba a verle —el llavero—, quien accedió a pedir en su nombre al señor alcaide Bento da Souza una audiencia justificada por las revelaciones importantísimas que iba a hacerle el presidiario. Nada nuevo: la misma canción encantadora que a tantos había hechizado ya.

Tardó Bento da Souza en concederle lo que pedía, pero al fin cedió. Estaba perdido. Después de ensayar sin éxito el registro de la emoción y el de la piedad, Chamijo acertó con el de la codicia. El alcaide podía llegar, con sólo quererlo, a ser un gran potentado. Bastaba comprarle un secreto, dándole en cambio cierta libertad, simplemente la de poder pasearse por Valdivia, para no morir como un perro olvidado en la cadena. Él, don Pedro Bohórquez Girón, no era un cualquiera, y mucho menos un criminal. El virrey lo había hecho aherrojar por venganza, por arrancarle el mismo secreto que estaba pronto a revelar al excelente caballero don Bento da Souza: ¡todo por la bondad, nada por la fuerza! El marqués de Mancera se había equivocado, porque el rigor no hace mella en los corazones bien puestos...

Cambiando de protagonistas y cargando los colores, dijo a da Souza, del virrey don Pedro de Toledo y Leiva, lo que a éste y a Lizarasu había contado del marqués de

Chinchón, juróle que a ojos cerrados le llevaría en cuanto quisiera al Gran Paitití, donde sin necesidad de tropa, con cuatro hombres solamente y unos pocos indios de carga, podían apoderarse de un inmenso tesoro siempre que no pretendieran conquistar la ciudad.

—Sacadme del calabozo, don Bento; no pido más por ahora que respirar libremente y no morir entumecido en ese ataúd. Y mientras os decidís a venir conmigo a la ciudad de los Incas, yo os juro que puedo prestaros grandes servicios, porque tengo mil secretos de inestimable valor. Puedo por ejemplo, hacer cuantas piezas de artillería me pidáis, con los pocos materiales que están a la mano en el presidio. Con estos cañones Valdivia estaría para siempre al abrigo de los piratas extranjeros que la atacan con tanta frecuencia.

—Pero ¿con qué harás los cañones? —preguntó da Souza, tuteándolo como arráez a galeote.

—Sencillamente con troncos de los árboles que abundan por aquí.

Y con gran desparpajo acercóse al bufete del alcaide, tomó una hoja de papel, una pluma, y comenzó a trazar groseramente un cilindro cruzado de rayas.

—¿Esto qué es? —preguntó da Souza indicando las rayas.

—Estos son los refuerzos que robustecen al cañón, impidiendo que el tronco se raje al estallar.

—Pero, repito, ¿con qué harás esos refuerzos?

—Con tiras anchas de cuero fresco de buey, que al secarse comprimen la madera y le dan la resistencia del bronce.

—¡Muy ingenioso, muy ingenioso! —exclamó el portugués, pensando que si el invento resultaba realizable y utilizable con eficacia, el hombre capaz de tanto no le engañaría tampoco en lo del Gran Paitití.

Chamijo había triunfado una vez más, y así lo comprendió con inmenso júbilo al oír que da Souza le decía:

—Voy a ocuparme de ti, y haré lo que pueda en tu

favor .. Lo de los cañones no depende de mí sino del gobernador de la plaza... Le veré... le hablaré...

—¿Y el calabozo?

—Ten paciencia hasta mañana.

El gobernador de la plaza de Valdivia, don Antonio de Cabrera Vázquez y Acuña, viejo militar de cortos alcances de esos a quienes no falta valor pero que, por cerrados de meollo están condenados a no salir de una situación oscura y mezquina fue informado de lo que decía y ofrecía Chamijo (en cuanto a los cañones, porque en cuanto al Gran Paitití, Bento da Souza guardó prudentísima reserva). Ordenó el gobernador que le presentaran al presidiario lo interrogó muy por lo menudo, y después de meditarlo bien, considerando que no se perdía nada con ensayar, autorizó la construcción de una de las extrañas piezas de artillería, bajo la vigilancia y la responsabilidad de Bento da Souza.

X

Chamijo salió del encierro, pudo ir y venir dentro del presidio, preparando la operación, y el alcaide le dio un par de hombres como ayudantes. De la parte más próxima a las raíces de un grueso tronco de haya hizo Bohórquez sacar un cilindro de tres varas de largo y empezó a perforarlo con hierros calentados al rojo, para obtener el ánima del futuro cañón, tarea que no confiaba a nadie y que exigía mucho cuidado y larga paciencia. El alcaide pasaba buenos ratos con él, siguiendo curiosamente lo que hacía, y conversando, si estaban solos, sobre su grande empresa. El aventurero aprovechó las buenas disposiciones del alcaide para alargar poco a poco el radio de los paseos que hacía en las horas de descanso, y no tardó en andar por los alrededores con tanta libertad como el menos sujeto de los habitantes de Valdivia, aunque jamás dejara de volver al fuerte antes de que cayera la noche.

Y en una de sus andanzas tuvo el más inesperado e inverosímil de los encuentros, que fue, también, providencial. Carmen, la linda chola, envejecida y desmejorada, flaca y pobre, estaba desde tiempo atrás en Valdivia. A raíz del ruidoso escándalo que provocó en Lima, al ser sorprendida por el oidor en íntimo coloquio con un galán de rompe y rasga que, tras de robarle la prenda, sacó al venerable magistrado a cintarazos de su propia casa, el virrey don Jerónimo de Cabrera, marqués de Chinchón, había metido al mozo en la cárcel y enviado secretamente a la moza a que meditara y se arrepintiera de sus pecados en el presidio de Valdivia, donde por únicos adoradores podría tener a los soldados de la guarnición.

El vuelco de su fortuna repercutió en la salud de la linda chola, haciéndola perder mucho de su belleza y lozanía, pero no la abatió enteramente, pues su sangre india le daba fuerzas para sobrevellar malandanzas y su ardorosa imaginación le prometía nuevas aventuras.

Creyólas muy próximas al ver a su ex amante donde menos lo esperaba, y no es preciso insistir en los extremos a que se entregó en el primer encuentro, que fue como ver el cielo abierto para ambos. Chamijo compartía su júbilo: Carmen, en suma, fue piadosa con él, aunque lo alejara en momentos desgraciados obedeciendo a su destino, risueño entonces. Hubiera sido inútil torpeza perderse los dos.

Contó la chola sus tribulaciones, el andaluz las suyas, y convinieron, enternecidos en unirse para combatir la suerte adversa y disfrutar de la propia si llegaba, como había de llegar.

La delicada perforación del tronco avanzó lentamente, y con mayor rapidez la privanza de Chamijo con el codicioso Bento da Souza, cada día más impaciente por intentar el golpe de mano al Gran Paitití desde cuando por indicación del aventurero, escribió a don Leoncio de Mendoza, pidiéndole informes que, según aseguraba Chamijo, solía podrían ser favorables.

XI

La fortuna pareció sonreír al andaluz. En principalísimo término obtuvo la formal promesa de da Souza de dejarlo huir y facilitar su fuga bajo cuerda, para reunirse luego con él, apenas recibida la respuesta de Mendoza, y en segundo, pero no desdeñable lugar al cabo de pocos meses terminó el cañón retobado con anchas tiras de cuero vacuno fresco, y reforzado con sunchos de hierro de las pipas de vino que el gobernador Cabrera recibía. Había nevado, el tiempo muy frío endureció la madera, ciñó fuertemente el cuero al secarlo, y con ayuda de la suerte el armatoste, montado sobre una especie de cureña hecha de piedras y argamasa no reventó ni se hizo astillas al primer disparo. Y fue milagro de veras .

Chamijo, triunfante, recibió del buen don Antonio de Cabrera, la orden de construir otros cañones y el título provisional de capitán de artillería. Esto significaba su libertad completa y ya sólo pensó en acelerar su desaparición del presidio, aunque da Souza, convencido de que los delitos enumerados de las *instrucciones secretas* tenían muy poco de verdad, le dijese que era innecesario recurrir a la fuga, porque el virrey no dejaría de premiar sus servicios confirmando lo acordado por el gobernador. ¿Para qué huir y exponerse a ser perseguido. cuando. días o semanas después ambos podrían, seguros y tranquilos, marcharse juntos a realizar su intento?

—El marqués de Mancera me tiene tal ojeriza que nada bueno aguardo de él —contestóle Chamijo— No dejará de atormentarme mientras no le entregue mi secreto. ¡Y eso sí que no haré, vive Dios! ¡No, no lo haré aunque me cueste la vida!

Aprovechando la marcha de un destacamento que salía en descubierta hacia el norte, y que acogió con regocijo a tan deseable vivandera, el flamante capitán de artillería hizo que Carmen quebrantara su destierro y fuera a esperarlo aguas arriba del río Cruces, en uno de los puertos que da Souza le había hablado en sus preparativos de fuga. Más vale prevenir que enmendar.

Los acontecimientos se apresuraron a darle razón. Una carta de don Leoncio de Mendoza, recibida por el alcaide, contestaba muy vagamente a sus preguntas, pero en cambio le decía que, noticioso el virrey del tratamiento de favor otorgado a Chamijo contrariando sus órdenes explícitas, había resuelto que el gobernador de la plaza embarcase al infeliz en la primera oportunidad y atado de pies y manos se lo mandase al Callao, de donde se le llevaría a la cárcel más segura y rigurosa "Os lo hago saber —terminaba don Leoncio— para que estéis en guardia y la orden no os tome de sorpresa, si, como decís, sois amigo de don Pedro Bohórquez Girón o como se llame, que al fin y al cabo también lo es mío."

No había que vacilar..

Puesto por él al corriente, Chamijo juró a Benzo da Souza, que le aguardaría en el lugar conocido. con los indios aliados del río Cruces, y partió en una mula, que el alcaide le prestó aquella misma noche, abandonando para siempre la fabricación de cañones de palo. el grado de capitán de artillería en comisión y el presidio de Valdivia, donde ni don Antonio de Cabrera Vásquez y Acuña. gobernador, ni Bento da Souza, alcaide tardaron en llorarlo. Y no por simple amistad.

De las hazañas de Pedro Chamijo si se prefiere a don Pedro Bohórquez Girón. futuro Inca rebelado con las tribus calchaquíes contra el usurpador hispano, ya hace veintitrés años que tienen noticia los lectores y —como dicen los narradores de Oriente— ni es necesario repetirlas.

EL FALSO INCA

Buenos Aires, 1904-1905.

SEÑOR CARLOS CORREA LUNA.

Mi querido Carlos:

A tu buena y vieja amistad, que sabrá apreciar el corto presente, dedico estas cuartillas que no son de historia ni de novela, aunque de ambas tengan lo bastante para no ser ni fruto solamente de la fantasía, ni árida reproducción de antiguos hechos. Diremos que es una crónica, escrita por su repórter que suele olvidarse de la actualidad para averiguar el pasado.

Bohórquez va, pues a ti y al público, sin pretensión mayor, por muy charlatán que sea. ¡Y el cielo te libre y libre a los lectores de tantos de su calaña como andan por estos mundos, prole distinguida y nunca bastante ponderada del insigne andaluz!

Afectuosamente

ROBERTO J. PAYRÓ

I

FORASTEROS EN EL VALLE

Dos viajeros, un hombre y una mujer, indígenas a juzgar por su aspecto y traje, cruzaban al caer la tarde de un tibio día de mayo de 1656, el amplio valle de Catamarca: el sol iba a ponerse tras del Ambato, los viajeros parecían rendidos por una larga jornada, y cerca no se veía habitación alguna.

—Aquí podíamos quedarnos —dijo el hombre en castellano señalando un alto paaj puca (quebracho colorado), que sobresalía en un bosquecillo de algarrobos, vinales y mistoles, entretejidos de enredaderas.

—Como te parezca —contestó la mujer, que tenía marcado acento quechua, así como andaluz su compañero.

Depositó bajo el árbol las alforjas de lana de colores que llevaba, y haciendo en seguida un montón de ramillas y hojarasca, batió el eslabón e hizo fuego, en la creciente oscuridad de la noche que caía. Bajó luego hacia el Río Grande, que corría a pocos pasos, llevando en la mano un ancho tazón de barro cocido, y volvió con él lleno de agua preparándose a cocer el maíz que, con un poco de grasa, ají y sal como condimento, constituiría su frugal comida.

El hombre, silencioso y apático, se había tendido en la espesa yerba, con los brazos bajo la cabeza masticando lentamente un *acuyico* de coca.

—A estas horas —murmuró por fin— ya está avisado todo el mundo, y todo el mundo ha recibido la noticia con regocijo...

—Algunos habrá que no creerán —replicó la mujer.

—¡Pero callarán, porque les conviene, porque es la realización de sus deseos, Carmen!... ¡Oh!, ¡el plan está bien madurado, y es magnífico!... Sólo falta encontrar el medio de acercarnos al gobernador... Y si él se deja envolver...

—¡Es tan ambicioso!... ¡Ha perseguido, azotado, dado tormento a centenares de indios, para arrancarles el secreto de sus tesoros! —exclamó Carmen, con vaga sonrisa de burla—. Ea, vamos a comer, que este cocimiento ya está.

—¡Y ni siquiera un poco de aloja para refrescar! —murmuró el hombre.

—No te apures, Perico, que si esto no es tan bueno como los festines del Potosí, día llegará en que los tendremos mejores. ¡Un Inca con millares y millares de súbditos!...

—Come y calla, que en boca cerrada no entran moscas.

Comieron silenciosos en medio de la sombra que había llenado el valle, entonces mucho más fértil que hoy, pues el Río Grande del Valle Viejo que bajaba desde cerca de las faldas del Pucará, y el río Tala, que descendía del Ambato, no interrumpían nunca su corriente, y en verano crecidos con los deshielos, lo inundaban, fecundaban y reverdecían todo.

El fuego, entretanto, iluminaba fuertemente el rostro atezado del hombre, en el que fosforecían dos ojos pequeños negros y vivos. Era de corta estatura, vestía una mala túnica de lana y un poncho de colores, y llevaba en los pies ojotas, o sandalias de cuero sin curtir. Parecía, pues, un indio, pero, aun sin oírlo hablar, un europeo observador hubiera notado en sus ojos de corte horizontal en la línea de su nariz y en sus movimientos bruscos y nerviosos, nada apáticos por cierto, que no pertenecía a la raza calchaquí.

Carmen, su acompañante, presentaba rasgos de india, y rasgos de española. Tenía el rostro de cobre dorado, ojos negros, muy grandes, dulces y tranquilos, pero en que a veces brillaban llamaradas de inteligencia y viveza, nariz fina, cabello como el azabache, algo rudo y ondulado, labios gruesos y rojos, frente estrecha y límpida. Iba envuelta en un manto que ocultaba sus ropas caídas y se ceñía coquetamente a sus redondas formas, pero los brazaletes y ajorcas de sus brazos y tobillos, los grandes pendientes de sus orejas y los topus cincelados con que se sujetaba el cabello, parecían indicar una mujer rica, si no de clase elevada.

—¡Si vendrá mañana! —exclamó el hombre, acabando de comer.

—¿Lo citaste aquí mismo? Pues vendrá, no te quepa duda, Pedro. Ahora, lo mejor es dormir.

La noche pasó silenciosa y tranquila, sin más rumores que el de las hojas movidas por la brisa y humedecidas por el rocío, el canto de las ranas, y algún lejano gruñido de puma o de jaguar en exploración por la selva y las quebradas.

Poco antes de amanecer, un vocerío y un zurrido incesantes y crecientes los despertaron. Inti, rey de lo creado, anunciaba su llegada, y la naturaleza entera se aprestaba a recibirlo. Alzaban alto el vuelo, el gavilán, el carancho, el chimango; el cuervo formaba sus negras cuadrillas de salteadores; el cóndor, como un puntito imperceptible e inmóvil, bogaba sin esfuerzo en los aires; y entre las ramas, el rey de los pájaros y el ñaarca se trazaban sus planes de emboscadas, mientras en los árboles o sobre la yerba charlaban o cantaban loros, kcates, carpinteros, horneros, zorzales, venteveos, viudas, mirlos, boyeros, cardenales, calandrias y guilguiles..., alternando con el grito de las pavas del monte, las charatas, las chuñas, o el arrullo de las torcazas, las bumbunas y las tórtolas, o el silbido de las perdices y las martinetas...

Carmen volvió a hacer fuego. Pedro mascaba coca, cambiando pocas palabras, en plena tranquilidad, cuando una gruesa voz de hombre los hizo poner en pie de un salto.

—Ea, Pedro Chamijo, ¡date, date que no hay escape!...

Y en efecto, la boca de un arcabuz apuntaba al descuidado viajero, y tras del arcabuz se veía la enmarañada barba, los ojos lucientes, las manos rulas y la cola de cuero, la chupa y el casco de un soldado español.

II

VISITA INESPERADA

No era aquello lo que aguardaba la pareja tan bruscamente interpelada. El hombre, ya en pie, tuvo un violento temblar, y se le nubló la vista. La mujer, más entera —quizá por lo menos amenazada—, consideró un momento al soldado. El examen debió resultar favorable, pues en seguida sonrió levemente y dijo con toda tranquilidad:

—Es Sancho Gómez.

Bajóse el arcabuz, y el soldado se adelantó jovialmente, exclamando:

—¡El mismo, hermosa! Pero ¿qué andáis haciendo por aquí, cuando os creía tan lejos?

Pedro pasó, por lógica transición del susto a la ira, y prorrumpiendo en una larga serie de blasfemias, acabó por decir:

—¡Vaya un modo de saludar a los amigos, Sancho Gómez! ¡Y cómo se ve que ahora no me necesitas! ¡Me has dado un sofocón!...

—¡Bah! Pelillos a la mar, y cuéntame lo que andáis tramando, tú y esta buena pieza —dijo Sancho, sentándose en el suelo—. En buena hora me ocurrió dejar el caballo y acercarme con tiento a ver qué era este bulto. Si la tuya ha sido ingrata en el primer momento, la mía es una gratísima sorpresa. ¡Vaya! ¡Desembucha, hombre de Dios! Cuenta, cuenta lo que haces.

Pedro Chamijo llamábase, en efecto, el viajero, y Sancho Gómez le había conocido muy a fondo en Potosí, donde fuera su camarada de orgías, aventuras e intrigas, tales que darían materia para la continuación del "Lazarillo" o "El gran tacaño". Testigo y cómplice fue Gómez del ardid con que Chamijo logró apoderarse no sólo de los quince mil duros de don Pedro Bohórquez Girón, sino también de su ilustre apellido. Puesta en el potro del tormento, puede que la gentil Carmen recordara cómo se produjo aquella hazaña, y qué cebo atrajo al incauto; pero si callaba esos pormenores, recordaba en cambio gustosa la vida de fausto y de placeres que gozaran los tres —Chamijo convertido ya en Bohórquez Girón, Sancho Gómez y ella—, hasta que su amante fue enviado a purgar en la cárcel de Chile, no sus delitos, que eran numerosos, sino el imperdonable crimen de haber embaucado a virreyes y gobernadores del Perú, prometiéndoles descubrir minas y tesoros —los famosísimos del Gran Paititi— que nunca se encontraron...

Del presidio de Valdivia —donde volviera a encontrarse con Carmen—, el andaluz, tan poco animoso cuando amigo de baladronadas y bravatas, huyó a Cuyo.

Carmen lo siguió con singular valor y abnegación, y allí colaboró en el complicado plan de una intriga que había de elevar a su amante a la más encumbrada grandeza. Allí también perfeccionó a éste en el conocimiento del idioma quechua, y aprovechó con él todas las circunstancias favorables para ponerse en comunicación con los indios del Calchaquí, preparándolos a una guerra formal contra los conquistadores, y anunciándoles el próximo advenimiento de un Hijo del Sol, sabio e indómito guerrero, cuya ciencia y cuyo valor centuplicarían las fuerzas de su pueblo.

Y cuando les pareció que el plan estaba suficientemente madurado y la semilla de la insurrección bastante esparcida en terreno propio, se pusieron en marcha, atravesaron los Andes, y por los valles de Guandacol y Famatina, sin tocar en Rioja por no dar trabajo a la autoridad, entraron a la región calchaquí, futuro teatro de sus hazañas. Allí permanecieron largos meses trabajando ocultamente en sus fines, hasta que resolvieron dar el golpe decisivo, y emprendieron viaje otra vez. De eso hacía pocos días.

Chamijo o Bohórquez, luego que le hubo pasado la ira de la reacción, se encaró con su compinche Sancho Gómez, hablándole amistosamente.

—Caes —le dijo— como llovido del cielo, si es que, como presumo por tus arreos militares, tienes algo que ver con el gobernador Mercado.

—Sí que tengo, y mucho —replicó Sancho—, pues no le sirvo sólo cargando el arcabuz, sino también guardándole las espaldas en alguna aventurilla, y hasta procurándosela si es preciso. Ya sabes que yo no soy hombre de tontos escrúpulos, ni de remilgos a lo dueña o rodrigón...

—Pues es preciso que me procures una entrevista secreta con el gobernador Mercado y Villacorta.

—Don Alonso me la concederá en cuanto se la pida. Pero, vamos a ver: ¿qué es ello?, ¿de qué se trata?

Chamijo se acercó y habló al oído de su camarada, por largo espacio, como si temiera que los mismos troncos de los árboles tuviesen oídos. Gómez, escuchándolo, abría desmesuradamente los ojos. Por fin balbuceó:

—¡Pero corres a la horca!

—¡O a la grandeza! Deja la horca en paz que ésa no llega hasta el día postrero, y contesta: ¿Quieres ayudarme? No arriesgas nada, no te comprometes en nada, y, si triunfo... si triunfo compartiré contigo el beneficio...

—Pero... una traición —tartamudeó Gómez.

—No hay traición cuando se va con el que manda como soberano. Además, quién sabe si llega el caso; sin embargo, siempre llegará el de los maravedís, la holganza, el vino rancio y las buenas mozas. ¿Está dicho?

—¡Hum! ¡Hasta cierto punto!... Te procuraré la entrevista, y después veremos... En todo caso puedes contar con mi discreción y mi honradez.

—Honradez de pícaro.

—Los pícaros no se engañan ni traicionan. ¡Bueno, con Dios! Voy a montar a caballo y seguir mi camino. A propósito, ¿dónde y cuándo nos encontraremos?

—En Londres, dentro de una semana.

—En Londres, dentro de una semana. Está bien, no faltaré... Carmen..., ¿no hay ni una caricia de adiós para un viejo amigo?

—¡Anda, vete, cara de *chiqui*! (diablo). ¡Que te acaricien tus propias barbas, chancho del monte!

-¡Amable y dulce prenda! ¡Cuán gratas me son tus palabras! —dijo Sancho riendo, y alejándose por los matorrales en procura del caballo que había dejado lejos para no hacer ruido, y ver sin ser visto a los que acampaban en el bosque.

Apenas había desaparecido, una cara de indio asomó en medio del follaje, precisamente junto al sitio en que estaba sentada Carmen, mirando a Bohórquez.

—¡Buenos días, gran jefe! —murmuró más que dijo el indio en quechua—. Temprano te amanecen hoy las visitas importantes.

—¡Ah, Luis! ¡Te esperaba con impaciencia! Acércate.

—Con impaciencia aguardaba yo también, metido entre estas hojas, a que se fuera ese alacrán, ese cangrejo vestido de cáscara dura. Es muy tu amigo... Y has hecho bien en hablarle en voz baja, pues así como pude haberte oído yo, pudo también escuchar algún otro...

—Muchas palabras gastas hoy —refunfuñó Bohórquez en castellano.

—Joven, hablas demasiado —añadió Carmen en quechua.

—Me preparo la lengua para las grandes noticias —replicó tranquilamente el indio.

III

EL MESTIZO

—¿Las grandes noticias? —preguntó Bohórquez palpitante de interés y emoción, mientras Carmen se acercaba instintivamente al indio, que se había reunido a ellos, saliendo de la espesura.

—Sí. Estos últimos meses he recorrido las tribus, una por una, y desde Humahuaca hasta más allá de las salinas, todas están prontas a empuñar las armas por su independencia, arrojar a los españoles de las tierras del sol, restablecer el imperio de los Incas y su vieja religión, y reconocerte como su jefe y el hijo representante de Dios sobre la tierra, aunque. . .

—¿Aunque? —preguntó sobresaltado Bohórquez.

—Aunque algunos afirman que no corre por tus venas la sangre de Manco Capac y Mama Ocllo, y aseguren que eres. . .

—¡Basta! —prorrumpió Bohórquez—. Castigaría esa audacia, si no se necesitara de todos para nuestra grande obra.

—¿También lo dices por mí? —preguntó el indio con la más imperceptible ironía.

—¡También por ti lo digo, vasallo! —replicó Bohórquez, exagerando el tono.

Luis guardó silencio y miró a Carmen, que le hacía una ligerísima seña con los ojos..

—Deja, oh soberano, que este hombre siga dándote las noticias que tiene —dijo la mestiza con fingida sumisión.

Luis Enríquez, que así se llamaba el indio, o más bien mestizo, pues era hijo de un aventurero español que había seducido y abandonado a su madre, quien lo educó en el odio y el desprecio hacia los conquistadores, incitándolo a la venganza desde sus más tiernos años, servía desde tiempo atrás de teniente y emisario de Bohórquez y agitaba infatigable las tribus calchaquíes, preparándolas para el día del exterminio.

El sistema de las encomiendas, que convertía a los indios en esclavos, so pretexto de "ampararlos, patrocinarlos, enseñarles la doctrina cristiana y defender sus personas y bienes", tenía indignado a todo el mundo, y pronto a lanzarse al combate; sólo faltaba un jefe, un guerrero que pudiera conducir a la victoria a estas huestes bisoñas e indisciplinadas, que si lucharon en anteriores sublevaciones fue para convencerse sangrienta y dolorosamente de que les faltaban armas, y sobre todo pericia.

La situación era doblemente insoportable para los indómitos calchaquíes, que no habían usurpado su nombre de "dos veces bravos". En efecto, aunque súbditos de los Incas, conservaban cierta autonomía hasta la llegada de los españoles, y ellos mismos elegían sus caciques. Su independencia fue luego total, mientras los conquistadores no invadieron sus valles; y más tarde éstos no lograron nunca someterlos del todo, hasta su exterminio completo.

Sus insurrecciones, que ocuparon un espacio de cerca de siglo y medio, fueron innumerables y algunas terribles. Ya entonces se recordaban, entre otras, las de 1536 contra Almagro; 1592 contra Diego Rojas, a quien costó la vida; 1553 contra Aguirre, que, según los historiadores, había cometido la iniquidad de repartir decenas de miles de indios como esclavos, a treinta y siete *encomenderos*, y que fue obligado a evacuar la ciudad de Barco; la de

1562 en que el célebre caudillo indígena don Juan de Calchaquí obtuvo la victoria en varios combates, al frente de numeroso ejército; la de 1572 contra Abreu; la de 1582 en Córdoba, y por último la gran campaña contra el gobernador Felipe Albornoz, iniciada en 1627...

Ya hacía, pues, muchos años que en los heroicos valles reinaba aparente paz, sólo turbada de cuando en cuando por alguna parcial refriega, a la que seguían inmediatamente feroces castigos e inhumanos tormentos, porque los españoles consideraban que, siendo tan pocos, en número, sólo el terror podía mantenerles sumisas aquellas masas innumerables de hombres. Junto con el terror, la religión y los prodigios celestiales. verdaderos o fingidos, completarían la obra...

Luis Enríquez, entre tanto, terminaba de dar sus informes al español:

—El valle de Calchaquí, el vasto espacio que rodea las salinas de Catamarca, los valles de Anillaco y Famatina, las gargantas y desfiladeros de los Andes, todo hervirá en guerreros armados de lanzas, hachas, libes, hondas y flechas en cuanto des un grito, y los pucarás verán sus murallas cubiertas de defensores. He visto a los valerosos Quilmes, nunca vencidos, en sus mesetas, frente al Aconquija: están dispuestos, ¡oh, hace ya muchos huatas! Los Andalgalás, de junto a las salinas, los Acalines del valle de Anucán, los lejanos Lules de Tucumunhao, arden en deseos de venganza e independencia. ¡Los atrevidos Diaguitas quisieran comenzar hoy mismo la lucha terrible, e igual pasa con los Escalonis, que abandonarán entusiastas sus cacerías para dedicarse a otra más grande y más sangrienta! El mismo ardor se observa en todas partes...

—¿Podré —preguntó Bohórquez con voz turbada—, podré ponerme desde luego en contacto con algunos jefes?

—Podrás.

—¿Cuándo?

—No pasarán tres días sin que lleguen numerosos caudillos, adivinos y sacerdotes a las inmediaciones de Choya.

Allí se reunirán, en una gruta del Cerrito. Tú puedes, esa noche, hablar con ellos y resolver.

—¡Oh, Luis! —exclamó Bohórquez, conmovido a pesar suyo—. ¡Suceda lo que quiera, tú serás mi segundo! ¡El príncipe más poderoso del imperio! ¡Séme fiel!

—Seré fiel a la venganza; sólo quiero la venganza —murmuró apáticamente el indio— y para alcanzarla, todos los medios me parecen buenos.

—¡Carmen! —gritó Bohórquez, sin parar mientes en lo que el otro decía—. ¡No veo la hora de llegar a Choya! ¡Allí quiero esperar a los jefes de mi pueblo!... Vamos en marcha. ¡Sígueme tú también, Luis!

Y sin ayudar a su compañera a recoger los utensilios que en el suelo quedaban, echó a andar a lo largo del río, por un estrecho sendero, paso sin duda de los chasques que cruzaban el valle de norte a sur.

-Yo sé que no es inca, ni indio: es español, pero... ¡por ahora no importa! —dijo Luis Enríquez a la mestiza, como si se le escapara un recóndito pensamiento.

Carmen se puso sigilosamente el dedo en la boca, echó la alforja a la espalda, y poniéndose en seguimiento de su amante, murmuró:

—Calla y espera.

La había sorprendido tal indiscreción en un indio, cuando éstos son la reserva y la astucia personificadas. Pero luego pareció comprender.

—¡Bah! —se dijo—; es mestizo como yo; ¡haré de él lo que quiera!

IV

LOS CACIQUES

Anduvieron a buen paso, tanto, que ya a mediodía estaban frente a la aldehuela de San Isidro, no lejos del lugar en que más tarde se fundó la ciudad de Catamarca. La aldea, muy crecida, existe aún, y fue tomada por los españoles como centro estratégico de observación, para que no pasaran inadvertidos los movimientos sospechosos de los indios. Un puñado de miserables ranchos de barro y paja rodeaba una pobre capilla de cinco varas de frente por unas veinte de fondo, paredes de adobe, techo de troncos apenas desbastados, cubiertos de cañas, ramas y barros, y cuyas puertas y altos ventanillos eran de toscas tablas. En este templo primitivo comenzaba a venerarse la hoy famosa imagen de la Virgen del Valle, a la que, después de consumados los hechos que narran estas páginas, se atribuyeron todos los tristes y sanguinosos horrores de la guerra, y cuyos tesoros, atraídos por tales cruelísimos milagros, afluyendo a sus altares han permitido luego alzarle una catedral.

Los viajeros no hicieron ni mención siquiera de asomarse a la capilla. Continuaron su camino sin ser vistos por los habitantes de la aldea, entregados a la siesta después de frugal almuerzo.

Algo más allá, en un espeso bosquecillo de algarrobos, ceibos y garabatos, junto al río, hicieron fuego y se dispusieron a almorzar y descansar también.

Al caer la tarde volvieron a ponerse en camino sigilosamente. Estaban sólo a legua y media de la "encomienda" de Choya, y una vez atravesado el río y el arenal que del otro lado se tendía en forma de playa, salpicado de breas y cactus, no tardarían en llegar al refugio elegido. Pero prefirieron hacerlo de noche, y descansaron varias veces para esperarla, a la sombra de los árboles. Los "conversos" de la encomienda de Choya estaban con ellos; en ningún caso les harían traición, pero bueno era prevenirse contra miradas indiscretas...

Ya en plena oscuridad tomaron un atajo para subir a la colina. Luis se separó de ellos. Iba hasta las casas para ponerse en comunicación con algunos habitantes, procurar provisiones, agua y armas para cazar y para defenderse si el caso llegaba.

Bohórquez y Carmen subieron largo rato por una senda que culebreaba en la escabrosa colina, hasta encontrar, al extremo de una vasta explanada, una gruta que Luis les había indicado. Este refugio estaba formado por un peñasco enorme que, rodando de la cumbre en algún cataclismo, había ido a detenerse sobre otros dos que sobresalían de la falda de la colina y servían de paredes laterales a la cueva, muy espaciosa, y cuya ancha entrada estaba disimulada por la vegetación: grande acacias espinosas y asclepiádeas y aristoloquiáceas que trepaban por la roca como los bastidores de una decoración de teatro. Algo más adelante, dos cereus gigantescos parecían custodiar la gruta.

En ella se instalaron, haciendo fuego para que todo estuviese pronto cuando llegara Luis con las vituallas. El mestizo no tardó ni llegó solo. Un indio iba con él, cargando dos grandes cántaros, uno de agua fresca y otro de chicha, y llevando un cuarto de llama. Al notar su presencia Bohórquez se retiró al fondo de la gruta, quedándose en un rincón oscuro, como para evitar todo contacto con el plebeyo.

—¡Ahí está el hijo del Sol, Huallpa Inca! —dijo Luis en voz baja a su acompañante, que, con grandes manifestaciones silenciosas de respeto, depositó su carga junto al fogón, dio unos cuantos pasos atrás sin volver las espaldas y aguardó, sumiso, mirando al suelo.

—Puedes marcharte —agregó entonces Luis sin alzar la voz.

El indio —uno de los pretendidos conversos de Choya— desapareció en las tinieblas sin haber despegado los labios. En el inextricable matorral no se oyó siquiera el roce de su cuerpo con las hojas y el ramaje: más ruido produjera una víbora arrastrándose por una losa de mármol.

—Aquí traigo algunas otras provisiones y armas —dijo Luis, dejando en el suelo una bolsita de grano, un atadito de hojas de coca y dos arcos con sus flechas—. Yo me quedo con este arcabuz; como tengo que partir inmediatamente, será más útil en mis manos.

—¿Tienes que partir? —preguntó Carmen aprestándose a hacer la comida.

—Sí; aguardadme aquí ambos. Debo ponerme en comunicación con los caciques para que acudan en la noche de pasado mañana.

Bohórquez y Carmen quedáronse solos y taciturnos, haciendo en aquellos días vida de ermitaños, casi sin cambiar palabra, pero con el pensamiento fijo en la misma idea. El andaluz hacía menos larga la expectativa durmiendo a ratos, comiendo y bebiendo chicha. Pero, al tercer día, cuando comenzaba a brillar la luna en su primer cuarto, poblando el valle de borrosos fantasmas, Luis reapareció y tras él llegaron, silenciosos y graves, los caciques, los curacas (jefes de familia) y los machis (brujos) convocados en nombre del falso Inca.

Ninguna prenda de su traje distinguíalos en aquel momento del resto de los habitantes de los valles: vestían, en efecto, una toga o túnica telar de lana, algo recogida en la cintura, y no llevaban armas, visibles por lo menos.

—Éste es el Titaquín —dijo Luis Enríquez señalando a Bohórquez y dándole por primera vez este título, correspondiente al de "señor del país", que en otros tiempos usaban los delegados del Hijo del Sol.

—¡Huallpa Inca! —corrigió orgullosamente el aventurero—. Sentáos.

Los indios, sin cambiar una mirada, con misterioso silencio, fueron poniéndose en cuclillas en torno del fogón, contra las paredes de la gruta. Eran una veintena. La llama del hogar les iluminaba los rostros bronceados, haciendo en ellos caprichosos juegos de luz y sombra, y poniéndolos a veces del color de la sangre. La expresión de todos ellos era impenetrable, y Bohórquez se esforzaba inútilmente por darse cuenta de sus sentimientos. Carmen lo animó, acercándosele y haciéndole una seña tranquilizadora.

—¿Quién es esta mujer? —preguntó el Curaca de Paclín.

—Es la Coya (reina) —murmuró Luis.

La conferencia comenzó. Bohórquez consideró hábil y últil ofrecer a los jefes una especie de autobiografía, valiéndose de los datos un tanto confusos que poseía de la historia del Perú, y aprovechó para ello la facundia que le había hecho famoso en cuantos países visitara.

—Huyendo y oculto —dijo entre otras cosas—, perseguido siempre, siempre protegido por mi padre Inti, crecí entre las asperezas de los Andes, inculto y bravío, pero sintiendo en mi interior, junto con la necesidad del mando, la ciencia innata del gobierno. Porque así debe ser el que, como yo, es descendiente directo y heredero forzoso de Manco Capac, el rico en virtudes y poder, que reinó cuarenta luminosos años, de Sinchi Roca el valeroso, el Lloque Yupanqui, el zurdo, de Capac Yupanqui, de Inca Roca, el prudente, que durante largos años y felices, con el llautu en la frente y el chonta con la estrella de oro en la mano, vimos salir día tras día el sol por encima de las montañas coronadas de nieve. Por que así debe ser quien, como yo, desciende del gran Yaguar Huacac, el que lloraba sangre, de Ripac Viracocha, que anunció la futura llegada de nuestros nefandos opresores, del noble y denodado Titu-Manco-Capac-Pachacutec, perturbador del mundo, del heroico Yupanqui, que reintegró estas comarcas al imperio, y después de conquistarlas con las armas las vinculó con sus leyes sabias y justas, del padre deslumbrador Tupac Yupanqui, de Huaina Capac, el joven rico, conquistador de Quito y padre del sol de alegría Inti-Cusi-Huallpa, y del traicionado y atormentado Atahualpa, cuya muerte tortura aún el corazón de sus vasallos... Porque así es el sucesor de los desdichados monarcas que no llegaron a reinar, despojados por la usurpación española, el Inca Manco, Sayri Tupac Yupanqui, Tupac Amaru, infeliz, cuya cabeza rodó en el cadalso de Cuzco, clamando la inicua felonia castellana y la terrible venganza de los suyos...

Bohórquez calló como embargado por invencible emoción.

Una voz, entonces, acremente sarcástica, brotó de un rincón oscuro, preguntando:

—Y tú, ¿hijo de quién eres?

Era el cacique Luis de Machigasta, el único que hubiera acudido a la conferencia casi contra su voluntad y que estaba casualmente en la comarca: decíasele amigo de los conquistadores.

Al oírlo Bohórquez, se inmutó, y sintió que una nube le pasaba por los ojos. No atinaba a contestar, tartamudeó algo respecto del Gran Paitití, donde había reinado, se refirió a la rama femenina, enredóse, en fin, tratando de enredar, y ya los indios levantaban la cabeza y lo miraban sorprendidos y recelosos, cuando el Curaca de Tolombón, jefe de un heroico pueblo, tomó la palabra con apasionada elocuencia.

Él también tenía sus dudas o sus certezas respecto del origen del pretendido Huallpa Inca, pero quizá consideraba que el pueblo calchaquí debía aprovechar aquella oportunidad de volver por sus fueros.

—¡Dejemos —exclamó—, dejemos para más tarde discusiones y averiguaciones que hoy a nada conducen! ¡Los valles proclaman ya con amor y confianza, del uno al otro extremo, el nombre de Huallpa Inca, y no hay en ellos un solo varón que no ansíe el momento de empuñar las armas y seguirlo para destruir, hasta el último, los hombres blancos y barbudos que nos esclavizan, nos aherrojan y nos matan!...

Desde las primeras palabras el Curaca se había hecho dueño de sus oyentes. Bohórquez, considerándose salvado, miró hacia el rincón en que Carmen estaba acurrucada, con una sonrisa de triunfo. ¡En cuanto pasara aquel minuto terrible quedaría ungido Inca, por la fuerza incontrastable de los hechos, y podría tratar como traidores a cuantos no lo acatasen!... El Curaca, entretanto, continuó:

—¡Tenemos que lanzarnos a la guerra! ¡Todos los curacas y caciques de los valles, vamos a mudarnos la flecha de la alianza, para emprender juntos la guerra! ¡Aquí está nuestro jefe, nuestro soberano!... Era lo único que nos faltaba: ¡un general capaz de llevarnos al triunfo!... ¡Porque nosotros no somos guerreros, somos pastores, somos agricultores! Criamos las llamas en la alturas y cultivamos el maíz en el llano que surcan nuestros acueductos, nuestros canales, nuestras acequias, ¡hechos con tanto esfuerzo y tanto arte como los de nuestros hermanos del Perú! Tejemos la lana y el algodón y teñimos las telas con las raíces de la tierra y la savia de los yuyos; fundimos y esculpimos la piedra y la madera, modelamos y cocemos la arcilla... ¡Somos pacíficos, somos bondadosos! ¡Vemos en el hombre un igual y un hermano, y si la entrada de nuestras montañas está fortificada, si hemos alzado pucarás, terraplenes y altas y gruesas pircas, es sólo para defendernos y defender a los nuestros en caso de inicuo y sangriento ataque!... ¡Ah! pero si somos pastores, si somos agricultores, también sabemos cazar el uturunco (tigre) y el puma (león), sin que la pica tiemble en nuestra mano, ni la flecha se desvíe en su camino, ni los libes caigan antes de alcanzar su presa, ni la piedra de la honda interrumpa su curva mortal, y el guanaco y la vicuña de las cumbres saben bien cuánta es la velocidad de nuestra carrera, lo sigiloso de nuestra marcha, la resistencia de nuestros músculos, semejantes a la cuerda tendida del arco. ¡Arriba, pues, hermanos, que estas otras fieras —los españoles ávidos y sanguinarios— caigan al fin, pese a sus formidables armas, arrollados por nuestro número, por nuestra perseverancia, por nuestro valor, por nuestro odio!... ¡Pónganse sus cáscaras de cangrejos de hierro!, la flecha sabrá hallarles la juntura, conducida por la justicia de nuestro empeño... ¡Y si caemos mil, diez mil en la demanda, quedarán diez mil, cien mil para vengarnos! ¡La tierra engendrará nuevos hombres, y la tierra, y la montaña, y los elementos, serán nuestros aliados!...

—¡Yo os haré cañones! —clamó Bohórquez, enardeciendo aún más el entusiasmo, haciendo vislumbrar el triunfo, provocando la admiración de sus secuaces...

Otros caciques tomaron en seguida la palabra, para hacer con elocuencia el proceso de los españoles, que los perseguían, los torturaban, los mataban, los aniquilaban en el trabajo implacable de las minas, desbarataban sus hogares, se llevaban sus mujeres y sus hijas, les arrebataban su religión, sus costumbres, sus creencias...

—Yo, como mis antepasados —prometió el andaluz—, haré respetar los derechos de todos: el suelo fértil se repartirá con equidad, vuestras tierras serán labradas aún antes de las mías, restableceré todo el imperio el glorioso culto de Pachacamac, el alma del Universo, el Huiracocha, el fantasma misterioso de Inti, el que vierte oro en las lágrimas que llora...

Y así desarrolló un vasto plan que, para los caciques y curacas, era el reverdecimiento de antiguos y ya marchitos esplendores.

—¡Sí, tú eres el Inca, tú el Hijo del Sol! —gritó entusiasta el cacique Pivanti, en cuanto Bohórquez cesó de hablar—. ¡Y yo, de hoy en más, te juro obediencia, acatamiento y amor!

—¡Lo juramos! —repitieron varias voces.

—¡Llévanos ahora al combate y al triunfo! —agregó Pivanti.

En ese momento uno de los machis levantóse tendiendo la mano hacia el caudillo, con ademán inspirado y solemne, y con tono profético exclamó en medio de la emoción de los circunstantes, preparados ya por los anteriores entusiasmos:

-¡Mama Quilla te ciñe en este momento la frente con su llautu de luz! ¡Augura un reino de gloria para ti y para tu pueblo!...

Un rayo de luna, en efecto, deslizándose por la boca de la gruta, había envuelto en pálidos fulgores la cabeza del aventurero.

Bohórquez quedaba definitivamente proclamado: la necesidad hacía cortar los ojos a los más prudentes y astutos caciques, y los mismos machis no lo discutían: más tarde, siempre habría tiempo de examinar sus derechos a la diadema imperial...

Poco después, los indios se retiraron uno por uno, conviniendo en que tomarían las armas a la primera señal. El cacique de Machigasta no se excusó de ello tampoco...

—¡Ya eres Inca! —exclamó Luis Enríquez cuando quedaron solos.

—¡Siempre lo fui, aunque no reinaba! —replicó Bohórquez con altivez.

—¡En fin! —murmuró el mestizo—, si tus proezas tienen que ser narradas por los Amautas y cantadas por los Aravecus, nada importará a tu vasallo tener que derramar hasta la última gota de su sangre...

—Ya lo verás... Ahora, pensemos en marchar mañana mismo a Londres —dijo el aventurero—; allí comenzará a desarrollarse nuestro plan...

V

EL TESORO DE LOS INDIOS

En las cercanías de Londres y en un rancho abandonado, de paredes bajas, construido con piedras toscas y techado con paja y barro, hallábanse reunidos, pocos días después, Bohórquez, Carmen y Sancho Gómez. Este último había conferenciado ya con el aventurero, y aquella tarde iba a comunicarle que esa misma noche se celebraría la anhelada entrevista con el señor gobernador del Tucumán, don Alonso de Mercado y Villacorta. Nada o bien poco le había costado obtener ese favor, pero su excelencia deseaba que se procediese con sigilo, para no despertar las sospechas de los indios ni provocar las críticas de los españoles.

—En cuanto baje algo más el sol, nos pondremos en marcha para llegar a boca de noche —dijo Sancho.

—Como te plazca.

—¿Iré yo también? —preguntó Carmen.

—Vosotras las mujeres, para ser realmente útiles —observó Sancho—, debéis esperar siempre el momento oportuno...

—Y ése no puede tardar para ti —agregó Bohórquez guiñando los ojos.

Carmen no replicó. Ambos españoles pusiéronse en camino un rato después, y llegaron a Londres ya de noche, como lo deseaban.

Esta mal llamada *ciudad* de San Fernando de Londres, actualmente Pomán, era apenas una aldea encaramada entre riscos, con pobres casuchas de madera y barro, pero circundada con algunos trabajos de fortificación. Sin embargo su importancia política era grande, pues su jurisdicción —que lindaba por el este con Chile, por el norte con Salta y Bolivia y por el sur con La Rioja— abarcaba unas cincuenta leguas de norte a sur, por otras tantas, más o menos, de este a oeste.

Bohórquez y Sancho entraron en el recinto de la ciudad, cuyos habitantes se habían recogido ya a comer y descansar, y deslizándose entre las sombras, llegaron a un edificio algo mayor y mejor construido que los demás, a cuya puerta se paseaba un soldado, al parecer de centinela.

Éste, al ver a Sancho, como advertido ya de su llegada, dejólos pasar, y después de introducirlos en una pequeña y desnuda habitación con humos de despacho, a juzgar por una mesa con escribanía y legajos de papeles que se observaban en un extremo, se internó en la casa, a anunciar sin duda su presencia.

—¿Éste es el hombre, Sancho? —preguntó poco después, entrando en el despacho, un caballero joven, no mal parecido, de porte airoso y altivo, bigote y perilla, ojos de terquedad y de pasión y tez curtida por las intemperies, que vestía modestamente calzón, chupa y casaca de género oscuro, y calzaba grandes botas de montar.

—El mismo, excelentísimo señor —contestó Sancho.

—Bien, déjanos solos.

Sancho salió. Don Alonso, pues el recién llegado era el gobernador en persona, encaróse con el aventurero.

—¿Eres Pedro Bohórquez, o por otro nombre Chamijo o Clavijo? —preguntó.

—Dejando de lado por el momento la cuestión de nombres y apodos, sí, excelentísimo señor —contestó el andaluz con desparpajo.

—¡Hasta aquí ha llegado el rumor de tus hazañas! ¿Qué intriga tejes?

—La envidia y la codicia hanme condenado, pero Dios sabe que soy inocente de cuanto se me acusa —dijo Bohórquez, con fingida humildad.

—Me han dicho que tienes algo que revelar respecto de minas, huacas y tesoros.

—En cuanto a eso os han dicho la verdad.

—Habla, pues: ya te escucho.

—Vuecencia ha de permitir que me ocupe, también, de otros dos asuntos de la mayor importancia...

—Veamos.

—El uno se refiere a la famosa y misteriosa Ciudad de los Césares... El otro es más grave: tiene que ver con el gobierno mismo de estas comarcas.

—¿Con el gobierno? Supongo que no se te habrá ocurrido tener participación en él...

—No sería demasiado atrevimiento... ¡Un Girón!... Pero vuecencia verá, si tiene a bien darme su venia.

Mercado, que había sonreído al oír el noble apellido de los Girón en boca del andaluz, contestó casi jovialmente:

—¡Pardiez! Habla de lo que quieras, que tiempo de sobra tenemos en estas soledades, y tu charla puede divertirme; pero comienza por lo referente a las minas y tesoros, sin tratar de embaucarme si te es posible, que lo dudo. Ya sabes que te conozco.

—Razón de más para que vuecencia tenga confianza en mí... Pero, ¿conoce también vuecencia la leyenda corriente acerca del cerro de Famatina?

—Sí, algo he oído. Se dice que los hechiceros han encantado ese cerro de tal manera que, aun cuando se vean, desde lejos, resplandecer al sol maravillosas vetas de oro y plata, nadie podrá encontrarlas jamás si antes no rompe el encanto, y que el atrevido que logra acercarse a las minas, es inmediatamente rechazado por súbitas y furiosas borrascas que llegan hasta costarle la vida...

—¿Y vuecencia lo cree? —preguntó Bohórquez con cierta sorna.

—Algo de cierto habrá en ello —dijo gravemente el gobernador—, como lo hay seguramente en el misterio del cerro Manchao, que ruge en cuanto una planta española huella sus inmediaciones.

—Lo que ocurre —prosiguió Bohórquez volviendo a su anterior humildad— es, sin embargo, obra exclusiva de los hombres. Yo lo sé a ciencia cierta, porque he vivido mucho tiempo y vivo aún entre los indios. Pero... voy al grano. Es notorio, y está comprobado, que los ministros de los Incas, valiéndose de sus súbditos, sacaban del cerro de Famatina incalculables cantidades de oro y plata... ¿Cómo explicar, pues, que estas minas riquísimas hayan desaparecido de repente y por completo, desde que estas comarcas pertenecen a los españoles? No pueden haberse agotado de pronto, por milagro, sin dejar huellas.

—¿A qué atribuyes ese hecho, entonces?

—Me explico, sencillamente, que los indios han destruido ex profeso los caminos que conducían a las bocaminas, en cuanto vieron que otros se enseñoreaban del país. Y tengo una prueba material y una moral, al respecto. Del otro lado de los Andes, muchas veces, cuando se trataba de enterrar algún noble personaje —ya sabe vuecencia que en realidad no los entierran, sino que los conservan, hasta con comida, para cuando resuciten—, pues cuando se trataba de eso, los indios bajaban con el cadáver y los objetos que habían de sepultarse con él, por barrancos casi a pico, hasta cuevas naturales o artificiales, abiertas en la roca, a grande altura. Y a medida que bajaban con su carga fúnebre iban destruyendo las piedras salientes y las asperezas que les servían de escala, de modo que no podían volver a subir. Llegados a la cueva, depositaban el cuerpo y demás, tapiaban la entrada, y bajaban al valle, cuidando también de borrar completamente ese segundo camino. Hecha la operación, la pared del barranco quedaba lisa como la palma de la mano, y sólo los pájaros podían llegar a la emparedada cueva... Nada costaba a este pueblo, que ha ejecutado obras tan grandes, hacer eso mismo en más vastas proporciones. El camino de las minas de Famatina y de otras cien partes, ha desaparecido así: no lo sé por conjeturas, aunque éstas pudieran bastar; lo sé también por confidencia de los mismos indios...

Don Alonso de Mercado y Villacorta miraba maravillado, casi convencido, al andaluz. La codicia que siempre había dormitado en él, acababa de despertar exigente y avasalladora. Ya le parecía verse dueño de incalculables riquezas, volviendo a España a gozar y triunfar en la corte como un espléndido y poderoso príncipe. Era su secreta ambición, lo único que lo había traído a América, lo único que podía endulzarle aquel destierro, no atenuado por sus aventuras y amoríos, pues, como dice un historiador, "era hinchado de orgullo, déspota en sus dictámenes, corrompido en sus costumbres..."

—Lo que me dices tiene el color de la verdad —murmuró, con la garganta prieta de deseo—. Pero tus antecedentes...

—Son una garantía, excelencia: sólo un hombre diestro y astuto como yo podría imaginar y llevar a término esta fabulosa hazaña.

—Mas, ¿conoces alguna de esas minas?

—No, excelencia.

—¡Entonces!

—¡Pero puedo conocerlas todas, una por una, sin tardanza! Los indios confían en mí..., ¡me obedecen! Dentro de pocos días sabré hasta el más oculto de sus secretos. Tendré la llave de sus tesoros, de los inmensos tesoros que millares y millares de indios arrancaban al seno de la tierra, para enviarlos al Inca, el único que podía hacer elaborar el oro y la plata. ¡Y... esa llave es lo que vengo a ofrecer a vuecencia!

—No me basta tu palabra —murmuró Villacorta, vacilante ya sin embargo.

—El que ha encontrado esto, puede conduciros a donde halléis cerros de los mismos minerales —dijo Bohórquez enfáticamente, presentando al gobernador dos muestras, una de oro y otra de plata, que llevaba a previsión en el bolsillo

—¿Y ese hombre, quién es? —preguntó Mercado examinando las muestras que había tomado con mano ávida.

—Hoy es uno de mis indios, que me pertenece como la sombra al cuerpo. ¡Mañana seré yo mismo, si lo deseo!

¡Ah!, ¡pero esto es poca cosa, excelentísimo señor; esto es, de veras, insignificante, parangonado con lo que aún puedo ofreceros! Tengo, en efecto, tesoros de mucho más fácil adquisición, que sólo exigen extender la mano sin necesidad de excavaciones ni manipulación alguna... Sabéis muy bien las enormes cantidades de metal que poseían los Incas; sabéis, por ejemplo, que Atahualpa, tratando de rescatarse, llenó de oro purísimo una habitación hasta donde alcanzaba con el brazo levantado..., pero ¿creéis que ese oro y el que se ha llevado a España antes y después, es todo el que poseían y poseen aún los indios? ¿Comulgáis con la conseja de que arrojaron el resto al mar y al fondo de los lagos?...

—¡No! ¡Hay huacas! —exclamó el gobernador, tan deslumbrado como si tuviera delante todo aquel oro, o como si mirara al mismo sol en pleno mediodía.

—¡No confunda vuecencia! Las huacas son sepulturas, y en ellas habrá joyas y preseas más o menos valiosas, pero en pequeña cantidad. ¡Eso no vale nada! El oro no ha desaparecido allí. Instruidos de su valor como moneda por los primeros conquistadores, queriendo conservarlo y al propio tiempo privar de él a sus enemigos, los indios se apresuraron a ocultarlo en *entierros* especiales, cuyos *derroteros* han venido legándose de padres a hijos. Alguno se habrá perdido y sólo la casualidad hará encontrarlo en los siglos venideros... Sin embargo, los que subsisten y pueden encontrarse hoy, bastarán para hacer palidecer de envidia al mismo Creso...

—¡Dime qué indio sabe uno de esos derroteros, y el potro no tardará en hacérselo revelar!...

—¡Bien convencido está vuecencia de que el tormento es inútil con esos infieles, más duros que la piedra con que hacen la punta de sus flechas!...

—Entonces...

—Captarse su absoluta confianza, conseguir que la revelación de esos secretos sea para ellos una cosa más que natural, obligatoria; ése, ése es el único medio, pues como no poseen la ciencia de la escritura, no tienen documentos indicadores que puedan caer en nuestras manos.

—¡Pero no hablarán nunca! —gritó el gobernador, desencantado y furioso.

Bohórquez sonrió.

—A mí me hablarán —murmuró con falsa modestia, para producir más efecto—. ¡Hace mucho vengo tendiendo una red en que caerán al fin, por poco que vuecencia me ayude!...

—¡Voto va! ¿Acabarás de explicarte?

—Nada más sencillo. Los que hicieron esos entierros fueron los caciques y los curacas de ciertas tribus, que sólo han comunicado el secreto a sus descendientes... Pero se hubiesen apresurado a revelarlo a otra persona...

—¿A quién? ¡Habla!

—Al Inca.

—Es verdad: pero no hay Inca.

—Puede haberlo.

—¿Y quién?

—¡Yo!

—¡Tú! —exclamó don Alonso de Mercado y Villacorta con profundísima sorpresa al oír contestación tan inesperada.

—¡Sí, yo!

Después de una pausa efectiva, durante la cual el aventurero miró frente a frente al gobernador, agregó:

—¡Y puedo decir con verdad, que estoy a punto de serlo, si es que ya no lo soy!

Mercado calló, perplejo. Meditaba con la impresión del vértigo en la cabeza.

—No sé —dijo por fin— en qué te fundas para hacer afirmación tan atrevida. Pero, quiero preguntarte: ¿qué te propones con eso?

—Ya lo sabe vuecencia: hallar los tesoros.

—¿Nada más?

—¡Nada más! Vuecencia tenga a bien darme una parte de esas riquezas. ¡Oh!, no pido mucho: vuecencia será siempre un potentado al lado mío. Pero con lo poco que me toque volveré a mi tierra a vivir y gozar tranquilo...

Mercado lo miraba, de hito en hito, sintiendo que la codicia desvanecía sus últimas desconfianzas.

—Pero —continuó el andaluz— aún hay otra cosa de que no he hablado a vuecencia... Podemos llegar a saber la situación precisa de la portentosa Ciudad de los Césares. Me consta que los machis la conocen... Y eso no sería simplemente apoderarse de un tesoro escondido· sería conquistar un maravilloso imperio...

—Ocupémonos ahora de las cosas más accesibles —interrumpió Mercado—. Al hablarme de asuntos del gobierno, ¿aludías a esa posibilidad que dices tener de hacerte Inca?

—En cierto modo, excelentísimo señor. El hecho es que los indios se mueven, complotan en secreto, piensan rebelarse... Si yo los mandara podría impedir la insurrección, o retardarla hasta que el número de los aliados, conversos y súbditos realmente fieles, fuera suficiente para dominar las hordas que se levantaran. Vuecencia sabe cuán difícil sería, hoy por hoy, sofocar una insurrección con los escasos elementos de que se dispone..., recuerda sin duda lo que costaron las anteriores..., no habrá olvidado que don Juan de Calchaquí estuvo a punto de desalojarnos de estas tierras... En las actuales circunstancias la astucia vale cien veces más que la fuerza... Es decir, nuestra fuerza es casi la impotencia, por poco que los indios acierten a organizarse, a aguerrirse, a adoptar un serio plan de campaña. ¡Son ciento contra uno, vuecencia lo sabe, y resueltos y bravos como leones! ¡Ah! ¡Únicamente en la astucia está la salvación, y yo, sólo yo, puedo, con la ayuda de vuecencia, conservar estas tierras a nuestro soberano!...

—Pero, ¿lo puedes en realidad? ¿Te aceptarán los indios por su Inca?

—Os lo repito: ¡me han aceptado ya! Y para ponerme

en acción, sólo espero que me déis vuestra venia. ¡Yo tendré quietos a los feroces calchaquíes, yo les arrancaré sus tesoros!...

Dominado, conquistado, embriagado, Villacorta preguntó con voz trémula:

—¿Qué debo hacer para ayudarte?

—Ordenar secretamente a todos vuestros subalternos que no se me moleste, haga lo que haga (preciso me será, en efecto, infundir confianza a mis presuntos vasallos), y que no se moleste tampoco a ninguno de mis secuaces.

Mercado y Villacorta decíase entretanto que tan fabulosas promesas bien valían la pena de hacer una tentativa, y no juzgaba tan descabellado el plan de Bohórquez, en cuanto al sojuzgamiento de los indios, semirrebeldes ya, por medio de la astucia. Así, pues, no discutió más y se entregó al aventurero, pensando que siempre habría tiempo de ponerlo a raya, si las cosas echaban por mal camino.

—Bien —le dijo—. Podrás hacer lo que quieras hasta... ¿qué tiempo necesitas?

—Lo menos tres meses.

—Bien; quedas dueño de obrar como te plazca durante el término de tres meses, al fin de cuyo plazo veré lo que has conseguido. ¡Pero cuida mucho de no desmandarte porque si se te va la mano, horcas habrá, y muy altas, en cualquier sitio en que te encuentres! Ve ahora en paz y tenme al corriente de cuanto ocurra.

—Vuecencia comprenderá que no he de venir yo: sería venderme a los indios que son recelosos y habilísimos en el espionaje, y que quizás ahora mismo nos están observando... Vendrá en mi lugar una mujer de mi entera confianza, y en quien vuecencia debe confiar en absoluto también. Se llama Carmen, y es mi... compañera, mi esposa...

—Pues que venga ella.

—¡No olvide vuecencia esas órdenes secretas: de otro modo no arribaremos a nada!

Y Bohórquez, haciendo una profunda reverencia, salió en seguida de la habitación y poco después de la casa a cuya puerta lo aguardaba Sancho Gómez, algo alarmado ya por su tardanza.

—¿Marchan bien nuestros asuntos? —preguntó Sancho.

—A pedir de boca. ¡Serás rico, Sancho! Pero ahora déjame, pues podrían observarnos —contestó el aventurero alejándose en dirección al rancho en que lo aguardaba Carmen.

El soldado, haciendo conjeturas y soñando grandezas, retiróse hacia su cubil, a tiempo que un sacerdote llegaba apresurado y sigilosamente a la puerta del gobernador, y entraba después de cerciorarse de que nadie podía haberlo visto.

VI

EL JESUITA

Un instante después, el nuevo personaje estaba hablando confidencialmente con el gobernador Mercado y Villacorta.

El padre Hernando de Torreblanca, un hombre de cuarenta y cinco años más o menos, de figura varonil y ademanes resueltos, alto y delgado, rostro enjuto y ascético de acentuados rasgos, nariz aguileña, ojos negros que ora brillaban con extraordinario fulgor, ora se apagaban tras de los párpados entornados con mística unción, y labios sutiles en que vagaba una pálida sonrisa que tanto podía ser doliente cuanto irónica. Daba la impresión de un ave de presa, adormecida a ratos. Jesuita, hacía ya años que habitaba y recorría aquellas comarcas, predicando, observando, gobernando quizá: decíase, en efecto, que era inspirador y consejero del obispo Maldonado, quien sólo obraba de acuerdo con él y por su insinuación; que el clero todo de los valles, bastante numeroso ya, sin embargo, le obedecía ciegamente, y que el mismo gobernador Mercado y Villacorta no podía substraerse a su influjo, a pesar de sus ruidosas veleidades de independencia, sus ostensibles pretensiones de gran político, y su aparente afán de desligar lo divino de lo humano, dejando el cielo para los sacerdotes de Dios, y guardándose la tierra para él. Algún aventurero descreído, de los pocos de esta calaña que formaban en sus filas, llegaba hasta decir que el gobernador y el padre Torreblanca se daban por enemigos para entenderse mejor, y lo cierto es que nunca hubo diferencias fundamentales entre la acción del uno y la del otro.

Fuera esto por lo que fuere, el hecho es que el gobernador Mercado y Villacorta contó aquella noche, muy por lo menudo, al padre Hernando, toda su entrevista con el andaluz, para terminar pidiéndole luces y consejo.

—¿Se podrá confiar en ese hombre? —preguntó.

—¡Los caminos del Señor son tan inescrutables! —contestó evasivamente el padre Torreblanca—. Pero —agregó en seguida—, no veo, por ahora, peligro en dejarlo hacer, aunque con la condición de observarlo y vigilarlo cuidadosamente para poder detenerlo a tiempo, si el caso llega. Estos hombres son útiles, si no para otra cosa, para explorar los ánimos... Y los indios se agitan en efecto, con el mayor sigilo, pero no tanto que yo no haya sentido sus palpitaciones. Son, como dice nuestro santo obispo Maldonado, los mayores idólatras que haya en estas Indias... Se fingen cristianos y reciben el agua del bautismo, para continuar en secreto su diabólico culto al sol y a los ídolos... Se fingen sumisos para tramar sus planes con mayor tranquilidad, y dar el golpe sobre seguro... ¡Ah! son tan astutos, que me parece imposible que Bohórquez haya podido embaucarlos, aunque sea el embajador más diestro que conozco... ¡Eh!, se harán los engañados, quién sabe con qué fin... quizá con el de hacer que nos descuidemos... Ya lo averiguaré... Ahora, en cuanto a las ruinas y tesoros de que habla... puede que existan y que los descubra, pero me parece difícil... el oro y la plata que había en esta región, eran exclusivamente los trabajados en forma de joyas y ornamentos, que el Inca mandaba de regalo a sus vasallos principales. Lo que de eso quede será indudablemente poco... Ahora, es posible que algunas remesas no se hayan enviado al Perú, como de costumbre, después de llegados los españoles, por temor a que cayeran en su poder... Eso puede haberse ocultado y enterrado. ¡En fin! Lo referente a las minas es lo que ofrece más probabilidades de realidad, pero quizá se trate de minerales pobres, sin rendimiento...

—Mirad estas muestras, reverendo padre —dijo Mercado, presentándole las que le había dejado Bohórquez.

—Sí, no son malas, hasta puede considerarse muy ricas —dijo el padre Torreblanca después de examinarlas atentamente—. Pero pueden ser excepcionales: las muestras son por lo general elegidas entre las mejores. Y, si así fuera, se necesitarían millares de obreros para explotar esas minas.

—¡Hombres es lo que sobra! —exclamó el gobernador—. Ya los hacemos trabajar donde el rendimiento es insignificante; con cambiarlos de sitio, estaría todo remediado.

—En fin, allá veremos. Por otra parte, ¿qué son estos intereses materiales frente a los elevados y santísimos de la obra moral que estamos realizando?... ¿Qué es la conquista de todo el oro del mundo, comparada con el triunfo de la cruz?

Mercado sonrió. La conversión de los indios era cosa, si no del todo indiferente, muy secundaria para él. Su propio poderío, su propia riqueza ocupaban el primer lugar.

Y Bohórquez había conseguido embriagarlo de tal manera, que las prudentes dudas y las atinadas objeciones del jesuita respecto de los tesoros, le parecían harto exageradas para ser tenidas en cuenta. De todos modos, con tal de que el padre Torreblanca no se opusiera a sus intentos... no tenía nada más que pedirle. No replicó, pues: el tiempo se encargaría de descubrir la verdad, y él no perdonaría medio de alcanzarla.

—Entonces, padre —dijo, después de una pausa—, ¿no juzgáis que me haya precipitado tomando una resolución impolítica?

—Lejos de ello, hijo mío, ya lo he dicho: así tendremos un ojo más en el campo enemigo, y eso constituye una inmensa ventaja, sobre todo en las circunstancias presentes, y con adversarios tan astutos y sagaces.

Se levantó de la poltrona en que se había sentado desde el principio de la entrevista, y dirigiéndose hacia la puerta, exclamó con voz vibrante, mientras los ojos le brillaban en la penumbra, más de arrebato que por el reflejo de la luz mortecina del velón:

—Podemos considerarnos en pleno estado de guerra. Vivimos en una comarca resueltamente hostil. ¡En tales condiciones todos los medios son buenos! ¡Sueñas con tesoros, sientes la vulgar ambición de metal precioso! ¡Ah! ¡El tesoro de los indios es la tierra, son ellos mismos!... ¡Y ése ya le tenemos! ¡Ahora, hay que conservarlo!

Volvió a imponer a su rostro la impasibilidad que había perdido un instante, bajó los párpados sobre la hoguera de sus pupilas, pero al salir del despacho todavía repitió:

—¡Hay que conservarlo!... ¡A toda costa!

VII

EN CAMPAÑA

Desde aquel día Bohórquez y Carmen se multiplicaron, sin contentarse con enviar mensajes y chasques, pues recorrían personalmente pueblos y aldeas en son de propaganda. Luis Enríquez no era ya el representante, sino el compañero y el segundo de Huallpa-Inca. Trabajaban a cara descubierta: el secreto tan admirablemente guardado por un pueblo entero, se abandonaba ya, como inútil. Bohórquez mostrábase públicamente en todas partes, y arengaba al pueblo.

—¡Vengo —decía siempre— a restablecer el bondadoso imperio y la justiciera ley de mis antepasados! ¡Sus nobles máximas serán mi única norma de conducta! —¡Sí!, como el gran Pachacutec, os repetiré: "Cuando los súbditos y sus capitanes o curacas obedecen de buen ánimo al Inca, el reino goza de toda paz y quietud. —¡La envidia es una carcoma que roe y consume las entrañas de los envidiosos: el que tiene envidia de los buenos, saca de ellos mal para sí, como hace la araña al sacar su ponzoña de las flores! —La embriaguez, la ira y la locura corren igualmente, sólo que las dos primeras son voluntarias y mudables, y la tercera perpetua. —¡El que mata a su semejante, se condena él mismo a muerte! —¡De ningún modo se deben permitir ladrones, y los adúlteros que afean la fama y la calidad ajenas y quitan la paz y la quietud a otros, deben ser declarados ladrones! —¡El varón noble y animoso es conocido por la paciencia que muestra en las adversidades! —¡Los jueces que reciben ocultamente las dádivas de los negociantes y pleiteantes, deben ser tenidos por ladrones!"

Y seguía desarrollando éstas y otras máximas dictadas por la sabiduría de los Incas del Perú, y ajustadas al espíritu de los calchaquíes, para terminar su peroración exclamando:

—¡Ahora, decidme! ¿cuántas veces caen los españoles que nos sojuzgan inicuamente, bajo el imperio de estas leyes, y debieran ser castigados? ¿No son ellos los perturbadores, los envidiosos, los llenos de vicios, los torturadores y homicidas, los ladrones, los adúlteros, los jueces venales, arbitrarios y corrompidos? ¿No han merecido cien veces la muerte?

Los indios recibían con entusiasta arrebato estas palabras de condenación. Luego sonreían, cuando Bohórquez, irónico, hacía mofa de la proclamada superioridad de los españoles:

—Pretenden enseñarnos, pretenden "civilizarnos" y lo que hacen es detener nuestra industria, matar nuestra agricultura, hacernos volver a la vida errante, esclavizarnos y embrujarnos con las mitas, el trabajo de las minas los quehaceres serviles con que nos convierten en bestias de carga. ¿Cuál es su superioridad? La del escarabajo acorazado y fuerte sobre la dulce abeja de nuestros bosques. ¡Ah!, ¡pero nosotros tenemos el aguijón: la flecha —y sus corazas no han de bastarles! ¡Pretenden enseñarnos! ¡y las mismas máximas principales de su religión son viejas para nosotros! ¿Quién no sabe que hay un poder más grande que el del sol? ¿Quién no venera a Pachacamac, el espíritu de las cosas? ¿Quién no conoce las palabras del gran Topa-Inca-Yupanqui: El sol no es el hacedor de todas las cosas, y no es libre: es como la res atada que siempre gira en el mismo redondel, o como la flecha que va donde la envían y no donde quisiera. . .

Estos discursos subversivos, que fomentaban el orgullo de la raza y el odio al opresor, llegaban a oído de los españoles; pero como éstos no trataban de reprimir y castigar al agitador, obligados a la pasividad por el ávido y ciego Villacorta, alcanzaban un éxito cada día más grande.

—¡Mucho ha de ser el poderío del Inca —pensaban los indios—, cuando nadie se atreve a incomodarlo, aunque diga lo que dice!

Por valles y montañas cundía de este modo la fama y popularidad de Bohórquez, haciendo que de día en día, de hora en hora, creciera el número grande ya de sus parciales. En cuanto a los caciques y curacas, si seguían desconfiando del aventurero, sabían disimularlo admirablemente. ¿No era, por otra parte, el disimulo su mejor arma de defensa bajo la opresión?

Pero Bohórquez, aconsejado por Carmen, no tiraba de la cuerda hasta que se rompiera, y cuidaba de mantener siempre vivas las esperanzas del gobernador. Sin embargo, elemento agitador y perturbador de primer orden, faltábale la vista clara y el cerebro organizado de un gran caudillo: como el niño curioso, era capaz de desarmar una máquina, pero no armar otra con sus piezas; admirable instrumento si hubiera estado en manos de un hombre genial, resultaba inútilmente destructor entregado a sus propias fuerzas. Carmen no bastaba para inspirarlo y dirigirlo: aunque ambiciosa, inteligente y hábil, faltábale también cultura, espíritu sintético, experiencia... Sin embargo, sabían ver y burlas los peligros del presente, aunque el futuro, hasta el más inmediato, les quedaba completamente en la sombra.

Carmen visitó varias veces a Mercado y Villacorta en nombre de Bohórquez, alucinándolo con nuevas promesas y con la reiteración de las anteriores. El descubrimiento de las huacas y tesoros era cosa inminente. . . También se tenía la seguridad de reabrir el antiguo camino al Gran Paitití, el reino portentoso a que se habían retirado los Incas con sus ingentes riquezas; la Ciudad de los Césares caería también en sus manos. . . Pero había que tener paciencia, esperar, captarse la absoluta confianza de los indios. . .

El noble caudillo se prendó de la mestiza, siguiendo su natural inclinación a los devaneos, y al verla embellecida por sus nuevas galas. –Carmen no desdeñaba la coquetería, y aprovechó su cambio de posición y los presentes con que se la colmaba en todas partes, como a la Coya esposa del Hijo del Sol. Y la gracia, el despejo y los favores de la joven, no influyeron poco para que fuera alargándose indefinidamente el plazo perentorio de tres meses concedido al andaluz para el descubrimiento de los tesoros y huacas– concesión muy acertada al parecer, pues a pesar de sus discursos, el falso Inca mantenía la paz entre los indios, que acataban visiblemente su autoridad... Es de observar que, después del primer período de violenta agitación, Bohórquez, sin abandonar su táctica revolucionaria, la completó aconsejando no ya sólo el secreto, sino también una fingida y completa sumisión a los españoles, aun con aparente detrimento suyo.

—¡Inca él! —exclamaban los indios aleccionados, allí donde pudieran oírlos—. ¡No tenemos más Inca que el rey de Castilla y de León!...

Esta estratagema fue adormeciendo a los españoles, a quienes el verano abrasador no tardó en amodorrar del todo, dejándolos en la dulce indolencia a que los invitaba el clima, inclinaba el carácter, y arrastraba la molicie de la vida, con tantos siervos encargados de atender a sus necesidades.

En cambio, los indios perseveraban entusiastas en el sigiloso trabajo que iba rodeando y envolviendo a sus enemigos en una telaraña cada día más apretada y resistente. Los chasques, las humaredas, teníanlos en comunicación rápida y continua. Telegrafiábanse por medio de los *humos*, de pueblo en pueblo y de tambo (posada) en tambo, siempre al corriente de todas las noticias y con el mismo propósito libertario. Su silenciosa y universal actividad, armonizaba con el descuido, universal y silencioso también.

VIII

EL NUDO DE LA INTRIGA

El único que no dormía en el campo de los conquistadores, aunque tampoco hiciese el menor ruido, era el padre Torreblanca. Recorría los valles, so pretexto de mansa evangelización, observando y escudriñándolo todo, y como si esto no bastara, muchas gentes astutas y hábiles estaban por él encargadas de informarlo. Servíase —como lo confiesa otro sacerdote, aunque no de la misma orden— "de algunas indias viejecitas, buenas cristianas y *españolizantes*, que todos los días y con diversos pretextos, repartíanse en varios rumbos, sin dar sospechas —porque son *muy finas y solapadas*, y con perfecto disimulo saben introducirse donde quiera como seres invisibles, y penetran los más ocultos secretos".

Los otros jesuitas coadyuvaban a la acción del padre Torreblanca. Por indicación de éste, y después de una excursión informativa, el padre Eugenio de Sancho escribió al gobernador Mercado y Villacorta, poniéndolo sobre aviso, desde el pueblo de Santa María de los Ángeles, en el valle de Jocavil. La carta, fechada el 13 de abril de 1657 —diez meses después de la secreta entrevista de Bohórquez con el gobernador—, comunicaba a éste que "el general (que así también comenzaba a llamarse el aventurero) había llegado casi en brazos de los curacas que, al saber su presencia en Choromoro, corrieron desolados en su busca. De Choromoro —continuaba el fraile—, "con alborozos y regocijos extraordinarios, le condujeron al pueblo de Tolombón, y de allí a los demás pueblos del valle, festejándolo y aclamando su llegada, como lo hubieran hecho con uno de sus antiguos Incas, cuya sangre reconocían en él"...

No dejó de alarmarse Mercado, pues la carta, aunque circunspecta, iba encaminada a ello, y envió un emisario a Bohórquez, llamándolo a su presencia. Como de costumbre, Carmen acudió solícita, con sus mejores galas y más eficaz hechizo. Y el estribillo se repitió:

—Vuecencia no debe extrañar lo que acontece —dijo resueltamente a Villacorta—. Es lo previsto y convenido de antemano, sin variante alguna. ¡Los curacas recelan todavía —y hay que confesar que con razón!... Si no logramos desvanecer hasta sus últimas dudas— a lo que va encaminado cuanto hace Bohórquez—, jamás sabremos dónde ocultan sus tesoros.

—¡Pero yo sé dónde ocultas tú los tuyos! —exclamó a esta sazón Villacorta, ya tranquilizado, deteniendo a la mestiza, que aparentemente quería retirarse, pero a quien su antigua profesión de *pampayruna* tenía ya curada de espanto, pese a su amor por Bohórquez...

A la mañana siguiente, y cuando Carmen salía de casa del gobernador, hallóse de manos a boca con Sancho Gómez.

—¡Hola, buena moza! —gritó sarcásticamente el soldado, fingiendo buen humor—. ¡Parece que se madruga!

—Es la costumbre —replicó la mestiza sin turbarse.

—Poco ha de costar, cuando se duerme entre sábanas de Holanda y... en buena compañía.

—No sé lo que quieres decir —contestó Carmen, mirándolo bien al entrecejo con ojos de desafío.

Sancho Gómez se encolerizó:

—Lo que quiero decir es que se olvida demasiado a los amigos —dijo con voz reconcentrada.

—¿Y eso?

—Y que los amigos pueden revelar muchas cosas al gobernador; entre ellas, que el Inca no es Inca, ni Bohórquez Bohórquez, y que cierto Chamijo o Clavijo...

—Todo eso se lo dijiste ya —contestó Carmen, fría como el hielo—. Huelga la amenaza.

—Puedo repetirlo a los padres...

—Lo sabían antes que tú.

—¡Lo diré a los vecinos!

—¡Los vecinos obedecen, no mandan!

—¡Lo proclamaré a los indios!

—Ya es público y notorio... ¿Qué más quieres decirme, Sancho Gómez?

El soldado tiróse desesperadamente el bigote y las barbas, mordiéndose los labios y por último consiguió rugir:

—¡Sois un par de bribones!

—No faltarías tú para el terno, si quisiéramos —dijo la mestiza encogiéndose de hombros y alejándose de Gómez que quedó masticando entre espumarajos la posible y dulcísima venganza...

Las cosas siguieron, pues, el mismo curso, y Mercado solía olvidar la intriga del falso Inca descubridor de tesoros, distraído por sus continuos viajes, en uno de los cuales el obispo fray Melchor de Maldonado y Saavedra quiso abrirle los ojos con sensatas y agudas palabras:

—¡Me consta —le dijo— que los hijos de los valles calchaquíes no amaron ni conocieron al Inca, sino sujetos con cadenas! ¡Menos lo reconocerán muerto, hijo mío! ¡Convéncete: aunque sepan que todo esto es fábula, quieren servirse de ello contra nosotros!

Don Alonso hizo algunas objeciones, balbuceó distingos... El obispo, desalentado, le contestó con una de las frases latinas que tanto prodigaba:

—*Quo vult perdere Jovis demental prius!*

Pero si Dios enloquece previamente a los que quiere perder, la verdad es que Mercado —tanto como el mismo Bohórquez— tenía la mano forzada por los acontecimientos que provocara sin saberlos prever. Ya no era tiempo de volverse atrás. La red tendida por los caciques y curacas, aprovechando la aventura del andaluz, abarcaba el país entero, desde Córdoba hasta Humahuaca (cabeza de ídolo), desde el Chaco hasta los Andes. Las poblaciones, nómadas de nuevo, después de adquirir mayor grado de civilización —y cuando ya eran agricultoras y manufactureras— a causa de la persecución y tiranía de los conquistadores, habían vuelto a ser, por consiguiente, más aptas para el oficio de la guerra, y sus hombres de armas tomar comenzaban a dedicarse al merodeo, asaltando chasques y desvalijando viajeros... La creciente inseguridad de la campaña hacía que en ciudades y pueblos se viviera con el Jesús en la boca, y que los falsos rumores, las alarmas infundadas, los sobresaltos y las agitaciones no tuvieran tregua... Un paso en falso podía pues, precipitar el estallido de la rebelión latente, de la sublevación inevitable... ¡salvo la augusta y suprema voluntad de Bohórquez, Huallpa Inca!...

De regreso a Londres, el gobernador volvió a llamar al aventurero. También esta vez acudió Carmen, pero con instrucciones precisas.

—Todo está a punto —dijo a Mercado—. Los indios no recelan ya, pero antes de entregarse por completo al Inca ponen una condición:

—Díla.

—Quieren un triunfo aunque sea parcial sobre la autoridad española, para creer en la de Bohórquez...

—¿Y qué triunfo puede ser ése? —exclamó Mercado con irritación.

—No se trata de nada tan difícil como vuecencia parece creerlo.

—¿Un triunfo de sus armas? ¡No lo consentiré mientras aliente!

—¡No hay tal necesidad! Que vuecencia le reconozca como Inca, y que por tal le reciba oficialmente en Londres, rodeado de su corte de curacas.

El gobernador dio un paso atrás ante la enormidad de la exigencia.

—Lo consultaré —murmuró al cabo de un rato de profunda cavilación.

La mestiza insistió, adulando:

—Vuecencia resolverá... ¡Él es el más sabio, y sus resoluciones siempre las mejores!

—¡Debo consultarlo! —repitió don Alonso.

Carmen, como si recordara un punto incidental y secundario, murmuró:

—El día que el Inca sea reconocido, los curacas revelarán a quien él señale, la situación exacta de varias minas y tesoros: lo han jurado por Illapa, el dios del rayo, y ¡no faltarán a tan terrible juramento!...

Villacorta vacilaba, perplejo.

—Quédate unos días en Londres, y te contestaré —dijo

por fin—. ¡Tengo que consultarlo, debo consultarlo... no puedo obrar de otro modo!

—Vuecencia tiene de su parte el saber, la autoridad y... la responsabilidad misma. A nadie sino a vuecencia incumbe esto; nadie, sino vuecencia, puede resolver...

—Quiero consultar, meditar —contestó el gobernador, casi vencido—. Sea como sea no dejes de venir esta noche.

—¿Tendré la respuesta favorable?

—¡Eh!, de algo hablaremos, en cualquier caso.

Cuantos consultó Mercado al día siguiente, hijosdalgo y gente de chupa corta, soldados y religiosos, se mostraron contrarios al pedido de Bohórquez, protestando de todo convenio con el falso Inca, y declarando que ya se había ido demasiado lejos en el camino de los desaciertos comprometedores. El anciano capitán don Pedro de Soria y Medrano —cuya descendencia vive y brilla aún entre nosotros—, caballero venerable, de consejo e influencia, fue el más resuelto condenador de Bohórquez.

—Por mucho que confiéis en ese titiritero —dijo a Mercado, entre otras cosas—, siempre será un personaje de feria. ¿Y no comprendéis que puede verse, y se verá sin duda, en el caso de elegir entre la muerte ominosa del traidor, infligida por los indios, o la insurrección contra el poder de España, que es traición también, pero cuyo castigo sería siempre más tardío? ¡Los hombres de su estofa no vacilan: eligen el camino de su seguridad, aun a costa de dejar en él su honra hecha jirones!...

Carmen volvió a la carga sin desmayo, y tanto hizo, de tal modo embriagó al gobernador con fantasmagóricas evocaciones de grandeza, riquezas y poderío, que éste, a despecho de todos los consejos y todos los vaticinios, acabó por decirle:

—¡Bien! ¡Que Bohórquez aguarde! Mañana me marcho a Rioja y Córdoba, pero antes de mi regreso le enviaré un propio, señalando el día de la recepción... ¡Tal es mi voluntad, pues no quiero que la envidia me detenga en mi camino!

En este juego de intrigas, falsedades y corrupciones, los indios no se habían dejado embaucar tampoco sino en apariencia, y sabían positivamente quién era Bohórquez, pero lo consideraban inapreciable instrumento de sus fines, como lo viera con ingenua sagacidad el obispo Maldonado, y con ojos de cóndor el padre Torreblanca, quien decía para sí, tras del *divide ut imperes,* algo menos clásico pero exactísimo en la circunstancia:

—La sublevación es inevitable, pero con un jefe como Bohórquez, necesariamente fracasará. Ahí no hay cabeza sino labia y audacia. Bueno es, pues, que el mando quede a este charlatán, embaucador e ignorante... Dará coces al aguijón... y aunque perezcamos en una de ellas... la obra se salvará.

Y el padre Torreblanca no se opuso nunca al engrandecimiento del andaluz; pues, en definitiva, los frailes fueron quienes conquistaron América para España...

En suma, Bohórquez trataba de embaucar al propio tiempo a los indios y a los españoles; el gobernador Alonso de Mercado y Villacorta quería servirse de los indios, los españoles y Bohórquez; los indios se esforzaban por utilizar a Bohórquez, el gobernador y los españoles, por consiguiente, hasta hallarse en buen pie de guerra y el padre Torreblanca, que veía esto tan evidente cual si estuviera impreso en su breviario, pensaba que todo ello redundaría fatalmente en la grande obra de que era silencioso e importantísimo colaborador.

Pero, en cambio, si don Alonso y Bohórquez estaban ciegos, los astutos curacas veían tan claro como el jesuita: no en vano estaban hechos al gobierno de hombres tan listos y disimulados, no en vano soñaban también con una grande obra. Sus espías estaban en todas partes, hasta en el seno mismo de las familias españolas, hasta en los cuarteles y cuerpos de guardia, en el presidio del Pantano, en los fuertes: ¡qué! hasta en los consejos, hasta en el propio gabinete del gobernador.

"Porque —como dice un historiógrafo— no hay raza

que aventaje a estos indios en astucia, actividad, disimulo y unión; y cosas he visto que me hicieron suponerlos, más que hombres, duendes, si existiesen éstos."

Servirse de Bohórquez, valerse de sus conocimientos tácticos (pues como español debía poseerlos, a juicio de los indios), apoderarse de las armas de fuego que sin duda sabría procurarlas, y mantener dormidos y confiados a los conquistadores; tal era su plan, cuyos preliminares no tardaron en comenzar a cumplirse.

Cierto día, en efecto, llegó a Bohórquez un mensajero comunicándole que en la primera quincena de julio sería solemnemente recibido en Londres por el gobernador Mercado y Villacorta, con todos los honores debidos a su rango. Los chasques comenzaron a cruzar la campaña, convocando a curacas y caciques; los humos de antemano convenidos, trasmitieron en pocas horas la noticia, del uno al otro confín del Tucumán, y Bohórquez no tardó en verse en Andalgalá, donde estaba, rodeado por numerosa corte, representativa del pueblo entero.

Con ciento diecisiete caciques púsose en camino, pero en Pilciao, otro enviado del gobernador le pidió en nombre de éste, que se detuviera allí, hasta tanto se terminaran los preparativos de la recepción, que eran grandes y exigían tiempo.

Una semana entera permaneció la corte incásica alojada regiamente en Pilciao por cuenta de la corona de Castilla y de León...

IX

LA RECEPCIÓN DEL INCA

Mercado y Villacorta, entretanto, había llegado de Córdoba a Londres reventando caballos y tomando por el terrible atajo de Quilino —tumba de tantos viajeros audaces— sólo por ganar unas cuantas horas.

Una vez en Londres organizó fiestas realmente fastuosas para el lugar y las circunstancias, citó más que invitó a cuantos hidalgos y sacerdotes habitaban en las cercanías, convocó a los vecinos de Rioja y el valle de Catamarca, y retiró ochenta soldados del presidio de Andalgalá, para que sirvieran de guardia de honor.

Por fin, el 30 de julio de 1657, Bohórquez y su séquito llegaron pomposamente a la vista de Londres. Mercado salió al encuentro del falso Inca, vestido de gala, a caballo, con numeroso cortejo de hidalgos, capitanes, clero, soldados y pueblo. Éste se aglomeraba en torno de los señores, vitoreando unos al Inca, otros al gobernador, pero fraternizando indios y españoles. Tuvieron que desandar cerca de una legua para volver a la ciudad, adornada con banderas, follaje, bordados y colgaduras, como para una procesión del Corpus. Una vez allí, frente a la iglesia, Bohórquez dio un golpe de efecto que llevaba preparado, y que desarmó muchas resistencias: algunos indios provistos de tijeras, acercáronse a los curacas que, fingidamente sumisos, se dejaron cortar las largas melenas —acto que en otros tiempos bastara por sí solo para provocar una sangrienta y larga insurrección, y que en aquel momento era un soberbio ardid para bien de la causa india y adormecimiento de los españoles...

—¡Ay! —exclamó amargamente el obispo Maldonado, que presenciaba la ceremonia— ¡estribar en que se cortan los cabellos, cuando todos los días se los cortan!...

La comitiva entró luego en la iglesia, entre vítores del pueblo, para asistir a las solemnes vísperas de San Ignacio, celebradas por los padres jesuitas Torreblanca, Eugenio de Sancho y Patricio Perea. El Inca ocupó, como sitio de honor, un almohadón del lado de la Epístola, junto al altar, y terminada la función religiosa fue acompañado hasta su alojamiento en el Cabildo por el mismo Mercado y Villacorta, los sacerdotes, los notables, la milicia, el pueblo...

Comilonas, aloja y chicha a discreción fueron aquella tarde y noche obsequio para los huéspedes y vecinos alborozados, cuyo entusiasmo ficticio subió de punto, y desde el día siguiente hubo fiestas y algazaras, que los cronistas exageraron después a porfía, sin temor al anacronismo, y equiparándolas por lo menos a los festivales que en aquella época se celebraban en la misma corte de los cristianísimos reyes de Castilla y de León.

Pero no es menos cierto que indios y españoles rivalizaban en demostraciones de satisfacción y fino amor de respeto, aunque probablemente con reservas mentales de una parte y otra.

Y mientras la gente de túnica y la de chupa corta se entregaban a la alegría y a la chicha de maíz, remojando los grandes bocados de patay y otros manjares del tiempo y la región, en el Cabildo de Londres comenzaron las solemnes conferencias en que Bohórquez representaba, solo, al pueblo calchaquí, reuniones que presidía el gobernador de Tucumán, don Alonso de Mercado y Villacorta, asistido por su secretario don Juan de Ibarra Velázquez, y a las que concurrían con voz y voto. S.S.I. fray Melchor de Maldonado y Saavedra, los ya citados jesuitas, el cura Aquino, del Valle de Catamarca, el licenciado don Cristóbal de Burgos, doctrinante de los naturales, el licenciado presbítero don Pedro de Villafañe, el vicario y juez eclesiástico del Valle Viejo, maestro don Nicolás de Herrera, los capitanes don Pedro de Soria Medrano, Juan de Ceballos Morales, Oliver, el teniente don Francisco de Nieva y Castilla y otros hidalgos y vecinos principalísimos de Londres, Rioja, Santiago y Valle de Catamarca.

El gobernador inició las conferencias diciendo que la exaltación de Bohórquez era no sólo la mejor, sino quizá la única garantía de paz en tan comprometidos momentos; que los españoles no lograrían sojuzgar a los naturales si éstos se rebelaban, y que, en cambio, el falso Inca podía mantenerlos quietos, y lo que es más obligarlos a convertirse a la santa religión católica, abandonando su infidelidad e idolatría...

Bohórquez abundó en razones análogas: declaró que su único conato era establecer de una vez para siempre el imperio de la Santa Cruz. Pero cuidó de evocar acto continuo la embriagadora fantasmagoría de los tesoros, las minas y las huacas. Conquistó, arrebató, enloqueció a gran parte de su auditorio. Sin embargo, no logró amordazar todas las opiniones contrarias, a despecho de Villacorta. Y cuando se trató de su reconocimiento como Inca, la discusión llegó a ser acre y violenta.

—¡No cabe vacilación! —gritaba el gobernador— puesto que ese título dado a este hombre nos abre todos los caminos, afirma la paz, nos entrega los indios. No dárselo es declarar la guerra... ¡Y la guerra es nuestra muerte!

—No hay más Inca que S. M. el rey de León y de Castilla —vociferó el anciano capitán don Pedro de Soria y Medrano—. ¡Dar ese título a otro hombre cualquiera, es hacerse reo de lesa majestad, cometer el delito de alta traición!

Esto enfrió un tanto a los partidarios del reconocimiento, pero Bohórquez supo tentarlos otra vez. Sin embargo, cuando hablaba de los inmensos beneficios que la religión alcanzaría, el modesto cura Aquino lo desconcertó con esta interrupción:

—¿Y cómo se quiere, puesto que este hombre no es Inca, alzar sobre una notoria mentira la majestad de la divina Verdad?

Pero, aprovechando el helado silencio que esta objeción ingenua y perentoria había producido, el padre Torreblanca inclinó el platillo, murmurando entre un suspiro, y de modo que se le oyera:

—¡Por todas partes se va a Roma!

Esta oportuna imitación del célebre *Paris vaut bien une messe*, decidió el triunfo del codicioso gobernador y el audaz aventurero. La asamblea, aunque por escasa mayoría, resolvió lo siguiente:

"Pedro Bohórquez volvería al valle de Calchaquí, para fomentar con su enorme prestigio el progreso de la religión cristiana y de la monarquía, y en compensación se le daba, en nombre del gobierno de S. M., jurisdicción de teniente gobernador, Justicia Mayor y capitán de guerra, y se le permitía usar el título de Inca y sus insignias y vestiduras".

Realmente indescriptible por lo profundo y silencioso fue el regocijo de los indios: ¡tenían una cabeza visible, un lazo evidente de unión! Y su entusiasmo subió aún de punto cuando el gobernador Mercado y Villacorta envió a Bohórquez un traje espléndidamente bordado, procedente del Perú, un llautu de oro coronado por el sol, ¡y el chonta de mando con el símbolo de Chasca, el Lucero! ¡Tanto pueden las apariencias... aunque en este caso las apariencias tenían una invisible pero enorme base de realidad!

Bohórquez, entretanto, siguiendo la comedia, hizo que varios curacas dieran al gobernador falsos derroteros de huacas y tesoros —uno de ellos precisamente en un pueblo adicto al español, para unir la burla al engaño. Mercado se contentó por el momento con esos datos al parecer positivos y mandó practicar excavaciones...

La despedida del falso Inca fue tan espléndida como su recepción. Bohórquez triunfaba, sin mirar al día siguiente. Sólo pasó un momento amargo cuando ya iba a salir de Londres.

—¡No hay huacas, señor don Pedro —le dijo el obispo Maldonado, dándole a besar el anillo— y los tesoros que nos han de dar son flechas!...

X

EN LA PENDIENTE

Enríquez no había asistido a las fiestas de Londres, y si Carmen las presenció, fue sin llamar la atención de nadie ni tomar parte activa en ellas. Pero cuando Bohórquez salió de la ciudad, volvieron a reunirse los tres, Carmen con la aparente impasibilidad de costumbre, el andaluz enorgullecido y pomposo, Luis inquieto.

Bohórquez acabó por notar la preocupación de su segundo, y le preguntó:

—¿Qué tienes? ¿En qué piensas?

—En algo muy grave —contestó solemnemente el mestizo—. Tengo una misión para ti...

—¿De quién?

—De los curacas y caciques.

—¿Qué piden?

—No piden nada. Declaran que ha llegado el momento de prepararse y lanzarse a la guerra.

Bohórquez palideció, mirando a Carmen, silenciosa.

—¿Desde cuándo —exclamó por fin— los vasallos envían a sus soberanos declaraciones que son órdenes?

—Desde que los soberanos mandan sólo en virtud de compromisos contraídos.

—¿Y si yo no hiciera caso de esa declaración?

—Quizá te fuera en ello la vida.

—¿Es esto una amenaza? —gritó Bohórquez.

—¡Es! —contestó fría y lacónicamente Enríquez.

El andaluz se estremeció, pero aún acertó a balbucir:

—¡No olvides en tu insolencia que nuestra ley condena también a muerte a los traidores y a los blasfemos del Sol y del Inca!

—Soy mandado —replicó Luis, más bien corroborando que retirando la amenaza.

Cuando quedaron solos, Carmen aconsejó a Bohórquez.

—Plegarte a su voluntad es el único camino que te queda —le dijo—. Los españoles van a reclamarte los tesoros ¿y qué piensas que harán, cuando no se los des, como no puedes dárselos? ¡Sin la guerra, o te asesinan los calchaquíes o te ahorcan los españoles: no tienes escape, pues en último caso, los mismos indios te entregarían! ¡Con la guerra, es otra cosa! Contando con millares de partidarios, puedes triunfar, consolidarte, ser Inca de veras, y en las circunstancias peores, negociar con Villacorta, sacar ventajas para ti, para mí, para los tuyos, y retirarte en seguridad y con riquezas...

—¿No sería mejor marcharse, huir de aquí? —tartamudeó Bohórquez aterrado ante el cuadro que se ofrecía a su vista.

—¡Demasiado tarde! ¿Y a dónde irías? ¿Al Perú, a Chile, donde te aguardan la cárcel o el cadalso? ¿A Buenos Aires, en que te alcanzaría la venganza de Villacorta? ¿Al Chaco, donde nos moriríamos de hambre?...

—¡Qué fatalidad! —murmuró el aventurero, entreviendo por primera vez la magnitud de la empresa que había acometido, sin luces ni carácter para coronarla.

—¡Ten ánimo! —insistió Carmen—. La guerra es el mejor partido, y quién sabe aún todo lo que ganaremos con ella.

Ésta fue su constante prédica durante la nueva campaña que emprendieron de pueblo en pueblo, hasta llegar a Tafí, de modo que cuando el padre Torreblanca acudió apresuradamente a pedirle una entrevista en dicho punto, Bohórquez èstaba ya más entero y pudo asistir a ella con su habitual desparpajo e insolencia.

A las primeras frases del jesuita que le pintaba con vivos colores la conflagración del país, donde cada día se producían choques sangrientos, asaltos, saqueos y hasta verdaderos combates de que lo hacía único culpable y responsable ante Dios y los hombres, el andaluz replicó, lleno de altivez:

—¡Perdonad, padre, pero no tengo cuenta que daros!...

El hábil sacerdote, viéndolo todo perdido, aún halló medio de contemporizar, halagando la vanidad de aquel pobre hombre que parecía tener en su mano los destinos del reino, y le arrancó el consentimiento de una conferencia con el gobernador.

Ésta se celebró poco después, y como para demostrar más la debilidad de Villacorta, vuelto en sí de sus sueños de riqueza, y el ensoberbecimiento del Inca y los suyos, el primero asistió con sólo tres personas de su comitiva, y Bohórquez con un gran estado mayor de curacas y caciques. Pero afectó sumisión y docilidad, en cambio. Prometió seguir manteniendo la paz, mientras de él dependiera, y como Villacorta le enrostrara el abuso de llamar caciques y curacas a consejo, sin autorización suya ni asistencia de los Justicias españoles, aseguró formalmente que no volvería a hacerlo.

—¡Y vamos ganando tiempo! —se dijo.

Nada adelantaba con eso, sin embargo, y debió pensar que "perdía tiempo", pues no tenía que esperar recursos ni refuerzos de afuera, al revés de lo que pasaba a los españoles, que podían recibirlos del Perú o del mismo Buenos Aires. Aquél, por el contrario, hubiera sido el momento de obrar: todo el pueblo calchaquí estaba con las armas en la mano, pronto a la primera señal, y juríes y diaguitas rivalizaban en celo y entusiasmo.

El gobernador se retiró sin haber hecho alusión a los decantados tesoros: ya estaba dolorosamente convencido de que iban a darle flechas, como decía el obispo...

Bohórquez, siempre irresoluto, no tardó en tener un motivo más de perplejidad y temores, que Carmen no pudo desvanecer. Uno de sus innumerables espías le llevó una noticia aterradora: sabedor el virrey del Perú de su coronación, e indignado contra tan locos y comprometedores procederes, acababa de enviar al gobernador Mercado, orden formal y perentoria de tomar a Bohórquez vivo o muerto, y enviar a Lima, bajo segura custodia, su persona o su cabeza.

Bohórquez se refugió sigilosamente en Tolombón, el sitio que más se prestaba a la defensa, en el corazón del valle Calchaquí, y a 1.600 metros de altura, rodeado de quebradas misteriosas e innaccesibles cerros, y centro de un pueblo de valerosos guerreros y diestros cazadores.

Tolombón fue rápidamente fortificado con macizas pircas de piedra que rodearon el pueblo, en cuyo centro se alzó una vasta casa, para habitación del Inca, la Coya y su corte. Hiciéronse grandes provisiones de grano y animales. Todas las huayras del pueblo y sus cercanías ardían fundiendo hachas y puntas de flecha, que los indios mojaban luego en jugo de *ccora* (cizaña) para comunicarles la mágica virtud de acobardar y hacer huir al enemigo. Aguzábanse en la piedra las puntas de las lanzas de chonta que, como desgarraban los tejidos al herir, dilacerando las carnes, los españoles creyeron siempre envenenadas. En las chozuelas consagradas a templos de los dioses del trueno y del rayo, había siempre centenares de flechas clavadas en el suelo, formando cerco, que rociaban con sangre de guanaco, y luego se llevaban, seguros de haberles comunicado mágico y terrible poder.

—¡Dije que os daría cañones! —exclamó Bohórquez cierto día—. ¡Pues voy a dároslos!

Hizo ahuecar con gran trabajo cuatro gruesos férreos troncos de guayacán, que retobó luego con cueros frescos y a los que puso sunchos de cobre y hierro. Tales eran sus cañones, que realmente hicieron fuego en los ensayos, pero que debían resultar inútiles por su poco alcance y su resistencia casi nula.

Completaba estas precauciones un servicio notabilísimo de observación y espionaje, que no dejaba escapar chasque ni mensajero de los españoles, por hábiles y astutos que fueran. Así supo la insostenible situación de Mercado y Villacorta, tan precaria que con un fácil golpe de mano —que Bohórquez no se atrevió a ordenar— los indios se hubieran apoderado de él y de los pocos soldados fieles que le quedaban. Tan graves eran las circunstancias, que el Deán y Cabildo del Tucumán escribieron pidiendo ayuda al Presidente de la Real Audiencia de Charcas, y para convencerlo de la urgencia le decían: "De los ciento veinte hombres que sacó el gobernador de las ciudades de arriba, sólo le quedan sesenta: los demás se han ido por hallarse desarmados, hambrientos y mal gobernados, y temiendo perecer. En las demás ciudades, pasa lo mismo".

La autoridad española era ilusoria en toda la región y casi hasta en la misma imperial Potosí, donde se gritaba: "¡Viva el Inca, mueran los mitas!" –sublevándose contra la pesada y tiránica contribución personal, y en tal forma que los ministros del rey, temerosos de un estallido, pusieron fuerte guardia en las lagunas para evitar que los indios soltasen las aguas y destruyeran la ciudad, como les había aconsejado Bohórquez.

Éste, entretanto, lejos de aprovechar la coyuntura, pasaba en Tolombón una vida de príncipe relajado, entre concubinas y compañeros de orgía, triunfantes antes de haber luchado, y sin hacer caso de las conminaciones de Carmen, las que atribuía tontamente a sus arrebatos de mujer celosa.

Restableció el antiguo culto al Sol, y cumplía con sus ritos, ceremonias y sacrificios, con la gravedad de un saltimbanqui metido a sacerdote. Un día mandó construir un altar de piedra, acercóse a él solemnemente, rodeado por el pueblo lleno de unción, puso sobre el ara un manojo de flechas, hízose una herida en el brazo y salpicando con su sangre el altar y las armas, gritó con sacro entusiasmo:

–¡Odio eterno al usurpador blanco! ¡Guerra a muerte al español!

Luego, entre aclamaciones, hizo una libación sagrada con chicha de algarroba (aloja) y postrándose con todos los suyos ante las flechas, las adoró...

Estas ceremonias teatrales no dejaron de producir impresión en los indios, tan numerosos, que los guerreros, solos, alcanzaban a dos mil quinientos...

XI

LA GUERRA

El ensoberbecido Bohórquez no permanecía ya encerrado en Tolombón; hizo muchas excursiones más o menos lejanas, y una de ellas a visitar a los quilmes, formidables guerreros cuya ciudad constituía una verdadera fortaleza. Afectaba la forma de un sector, cuyos dos radios eran las dos partes de una quebrada, altas e inaccesibles. Las laderas de estas montañas estaban reforzadas por parapetos y otras obras de defensa. Un acueducto construido en el mismo cerro, a considerable altura, llevaba, desde muchas leguas, el agua necesaria para el abastecimiento de la población. Todas las calles concurrían al centro de la quebrada, formando radios interiores del sector —disposición admirable, pues en caso de retirada ante el enemigo, el mismo retroceso de las fuerzas aparejaba su concentración—, como dice uno de los historiadores del Tucumán.

También fue a Famatina, donde los habitantes de Machigasta lo recibieron con singular entusiasmo, menos el cacique Luis, ganado a la causa española por el cura Herrera y Guzmán, y a quien el falso Inca trató de hacer asesinar, recordando la desconfianza por él manifestada cuando el comienzo de la insurrección.

Al bajar de Machigasta a Valle Vicioso, cumplió a Enríquez una de sus promesas, haciéndolo proclamar general en jefe de sus ejércitos: de ese modo el mestizo podía estar seguro de que se haría la guerra. Después, numerosos indios lo siguieron procesionalmente a Tolombón. En cambio el cacique Luis de Machigasta, justamente irritado ante la frustrada tentativa de asesinarlo, corrió en busca del gobernador, para revelarle los planes de su enemigo.

—¡Bohórquez —dijo el cacique— se ha comprometido

con todos los caciques del Tucumán, y va a lanzarse inmediatamente a la guerra!

¡Ay! ¡Harto lo sabía Mercado y Villacorta! Harto, también, comprendía su impotencia, cuando no había intentado siquiera apoderarse del taumaturgo, por la fuerza o por la astucia, y aunque hubieran vuelto a llegarle del virrey del Perú nuevas y más imperativas órdenes de prenderlo o matarlo...

Pero, entre la espada y la pared, resolvióse a hacer lo que fuera humanamente posible. Por lo pronto ordenó al teniente Nieva y Castilla que reforzara el presidio del Pantano, y construyera un nuevo fuerte español en Andalgalá, ya famoso por las obras hidráulicas de los indios, así como por sus construcciones, especialmente las militares, y para tal empeño dióle apenas veinte hombres mal armados del valle de Catamarca. Mandó, por otra parte, al capitán don Juan de Ceballos Morales que con su escasa tropa vigilara la frontera de San Miguel, por Tafí y Choromoros, y pidió en seguida fuerzas a Rioja, al Perú, a los que tenían y a los que no tenían...

Luego pensó en sorprender a Bohórquez en alguna emboscada, y para lograrlo mandólo invitar a una conferencia en la que se hablaría de las minas y de la conversión de los indios... Bohórquez contestó sencillamente que estaba enfermo. Mercado envióle entonces dos representantes para tratar la paz. Bohórquez los desairó, dejándolos plantados mientras se hacía conducir en andas hacia el ara que había erigido al Sol, en la que sacrificó vestido de Inca...

Villacorta invitólo entonces por tercera vez y en términos que significaban una conminación. El falso Inca, comprendiendo que desairarlo esta vez equivaldría a una franca declaración de guerra, reunió su consejo y le expuso lo que ocurría. Sólo se alzó la voz de un anciano curaca, sintetizando la opinión de todos los demás.

—¡Precisamente, la guerra es lo que queremos! —dijo—. Pero ten entendido que si asistes a esa conferencia, te declaras vencido sin combatir y ¡correrás la suerte de los vencidos!

La invitación fue rechazada, y Mercado no pudo por entonces vengar la nueva afrenta: falto de tropa, sin municiones, rodeado de gente desalentada, descontenta de él no le era posible lanzarse al asalto de Tolombón. ¿Y cómo hacerlo, cuando apenas si contaría con cien hombres mal armados para hacer frente a un ejército —pues tanto había crecido— de cinco mil indios valerosos, resueltos, fanatizados?...

Pero salió de Londres al frente de un miserable grupo de soldados. No se sabía dónde iba, y los vecinos de la ciudad comenzaron a exclamar con sarcasmo, creyendo que huía:

—¡Qué Villacorta! ¡Villadiego será!

La frase amarga y cruel se hizo popular, y hasta fue convertida en coplilla que siguió repitiéndose mucho tiempo:

Lo que le importa
es huir del fuego,
a Villacorta
de Villadiego...

Todos los caciques recibieron y aceptaron en aquellos días la flecha de la alianza. Los humos dieron la señal de guerra. Temiendo todavía la influencia de los jesuitas, o puede que por un resto de piedad, Bohórquez despachó a los padres Eugenio de Sancho y Patricio Perea de sus misiones de San Carlos y Santa María, con el pretexto de que fueran a pedir indulto para él. En cuanto se marcharon, los indios asaltaron, saquearon e incendiaron las solitarias misiones...

Ya en plenas hostilidades, y para infundir mayor entusiasmo a los suyos, Bohórquez hizo correr la voz de que los franceses sitiaban a Buenos Aires, y que los españoles de Calchaquí saldrían a defenderla, dejándoles completamente libre el campo.

En seguida envió quinientos hombres sobre el fuerte de Andalgalá, haciéndolos apostar en una "angostura" estrechísima hacia Londres, para impedir el paso al capitán Nieva y Castilla, que contaba apenas con ochenta hombres. Quinientos mandó a Salta, a atacar al gobernador que se suponía allí. Quinientos tenía en Tucumanhao. Más de mil envió a las fronteras del Tucumán, vigiladas por el capitán Ceballos Morales, quien con más arrojo que cordura los atacó y fue derrotado, teniendo que dejar el paso libre a los indios que llegaron a devastar las estancias de Choromoros...

Londres estaba abandonado, mientras los calchaquíes paseaban sus armas triunfantes por Choromoros y Acay, mientras las poblaciones de Tucumanhao, Abimanao, Ampache y Aquingasta, rechazaban denodadamente el formidable ataque de los españoles mandados por el capitán Arias Velázquez, y mientras el gobernador, con sesenta soldados apenas, permanecía indeciso y perplejo en la quebrada del Escoype...

Los machis, para enardecer del todo a los guerreros, les recordaban que las estrellas más resplandecientes eran los espíritus de los curacas muertos, y prometían igual suerte a cuantos cayeran combatiendo por la independencia y libertad de su suelo. Y mientras los indios cobraban mayor confianza cada vez, los españoles tenían la derrota por segura, con tanta mayor razón cuanto que, para disimular sus pérdidas, los indios recogían y ocultaban sus muertos aun en lo más recio del combate, y las balas parecían resultar inútiles...

Por fin, siguiendo el consejo del padre Torreblanca, que no lo había abandonado en tan terribles emergencias, el gobernador Mercado y Villacorta se resolvió a salir de la quebrada y fue a ocupar el fuerte de San Bernardo, que en 1634 construyera el gobernador Albornoz, a tres leguas de la ciudad de Salta...

XII

EL FUERTE DE SAN BERNARDO

La situación de Villacorta en San Bernardo era comprometida, por falta casi absoluta de municiones, aunque el fuerte fuera lugar estratégico de primer orden, elegido en la rebelión anterior para proteger la retirada de los pulares.

El fuerte ocupaba la punta que forman los dos brazos de un río que llega del rumbo de los Lipes, y que tendría dos cuadras en su parte más ancha. Dominaba unas altísimas barrancas, inaccesibles a pie y a caballo, salvo unos pasos muy estrechos. Los brazos del río volvían a unirse a dos tiros de escopeta. El fuerte, pues, edificado en la parte superior, estaba defendido en la parte inferior por las barrancas y una muralla de pirca o piedra sin argamasa, de vara y media de alto.

La obra, sin embargo, estaba deteriorada, y del edificio principal sólo quedaban las paredes de dos frentes. Mercado, con sus hombres, acampó, pues, entre la casa y el parapeto, levantando sus tiendas en ese espacio, sin reforzar la defensa.

El padre Torreblanca hizo construir una capilla de ramas y paja seca, para decir misa y mantener con sus sermones el buen espíritu de la soldadesca.

El temor de un asalto en esa situación, sin municiones, y cuando los espías anunciaban que Bohórquez y su gente iba moviéndose hacia Salta, se convertía ya en pánico, cuando un mensaje de dicha ciudad llevó la feliz noticia de que acababa de llegar gran cantidad de botijas de pólvora, así como plomo para balas y cuerda o mecha para los arcabuces, enviada por el Presidente de la Real Audiencia de la Plata, don Francisco Nestares Marín, a indicación del maestro de campo don Pablo Bernárdez de Ovando, quien le había pintado la situación harto amenazada de los españoles en los valles calchaquíes.

Villacorta pidió que se apresurara el envío de parte de esas municiones al fuerte de San Bernardo, e hizo bien, pues al propio tiempo de éstas, el 22 de septiembre de 1658, llegó un explorador con la noticia de que el enemigo se había acercado y acampaba en los próximos pueblos de los pulares.

—¿Los manda Bohórquez? —preguntó Villacorta.

—No he podido saberlo, pero vienen con algún jefe importante, pues son muchos.

—¿Cuántos?

—Más de mil.

Villacorta llamó a Sancho Gómez.

—Ponte a la cabeza de diez hombres a caballo, y ve a explorar lo mejor que puedas el campo enemigo.

Gómez obedeció inmediatamente, soñando en la venganza que maduraba desde que lo abandonó Bohórquez. En el fuerte sólo quedaron setenta hombres.

Para Mercado, el ataque era inminente, así es que tomó al punto las medidas y disposiciones del caso. Puso diversos centinelas en puestos avanzados, encargando a Juan de Tobar un punto a inmediaciones del bosque.

A regular distancia, defendidos por las asperezas, y en conveniente altura, situó algunos arcabuceros, buenos tiradores, y distribuyó los menos diestros y valerosos en posiciones no tan expuestas.

Cayó la tarde en medio de la expectativa general, y llegó la noche, silenciosa y oscura. Villacorta estaba intranquilo; su porvenir —después de tantos errores— se jugaba definitivamente en ese momento.

Para hacer mayor su angustia, las horas pasaban y Sancho Gómez y sus soldados no volvían... Tenían que haber sido derrotados y hechos prisioneros por los indios...

En medio de la noche, Villacorta fue a buscar al padre Torreblanca, que descansaba en la improvisada capilla.

—Reverendo Padre —le dijo—: se acerca la hora de mi

muerte y quiero comunicaros mis últimas disposiciones, y ponerme en paz con Dios por vuestro intermedio.

—¿Por qué esos presentimientos, hijo mío?

—Porque si no rechazamos a los indios, saldré de este recinto para morir matando, ya que ése será el único medio de...

—Confía en la Divina Providencia y no te abandones al desaliento.

—No me abandono, padre, pero oídme: Aquí, detrás de la capilla, está atado mi alazán. Es un gran caballo que en poco tiempo puede poneros en Salta, y que no alcanzará nadie que os persiga. Si soy derrotado, si véis que los nuestros cejan, montad y partid sin mirar atrás. Aquí tenéis las llaves de mis escritorios de papeles, cédulas y negocios de importancia, que entregaréis a mi sucesor.

Entrególe, en efecto, las llaves y luego agregó:

—Examinad mis cartas y papeles particulares y quemad todo aquello que creáis oportuno. ¡Fío en vuestra prudencia y generosidad: que mi memoria no quede empañada ni comprometida!

—Así lo haré, hijo mío.

—Ahora, padre, oíd mi confesión.

XIII

EL COMBATE

El campamento estaba sumido en las tinieblas y el silencio, y Juan de Tobar seguía montando la guardia, cuando a eso de la una de la madrugada parecióle oír el rumor de unas ramas que se quebraban en el bosque, a pocos pasos de distancia. Escuchó, trató de sondar las tinieblas con ojos dilatados por el pánico, y convencido de que alguien andaba entre los árboles, hizo fuego con su arcabuz hacia donde se escuchaba el ruido. Tres disparos le contestaron, silbando las balas cerca de su cabeza; Tobar arrojó el arma, y convencido de su muerte segura, echó a correr hacia el lado opuesto del campamento.

La alarma estaba dada, y todos los españoles pusiéronse en pie, ocupando sus puestos de combate.

Villacorta salió corriendo de su tienda, apercibido a la lucha, embrazando la adarga y empuñando la espada, y cubierta la cabeza con una montera escarlata para que lo reconocieran los suyos, mientras en los alrededores se escuchaba el creciente tropel de los indios que sitiaban el fuerte en número considerable, que no era posible calcular en medio de las sombras.

Después de los tiros, en la campaña y entre el bosque sonaron trompetas, caracoles, atabales, tambores y pingollos, aumentando el temor y la expectativa de los sitiados con la evidencia de que enfrente se hallaba un formidable ejército. Luego, todo calló, y el silencio reinante parecía una terrible amenaza...

Villacorta puso en cobro las armas y el real estandarte, dando a los de a caballo la orden de tener sus monturas prevenidas, dictando las últimas instrucciones y haciendo proceder al reparto de municiones en abundancia.

Los indios, entretanto, aunque bien informados a su juicio de la situación del fuerte y sus defensores, no se atrevían a atacar en medio de las tinieblas. Bohórquez estaba a su cabeza, lo mismo que Luis Enríquez, y ambos habían recibido de un espía la comunicación de que Villacorta no tenía pólvora para sus soldados. Por esto resolvieron sitiar el fuerte, abandonando el primer plan de Enríquez, quien había dicho a Bohórquez:

—Limitémonos por ahora a los combates parciales, y en terreno descubierto, donde las flechas pueden luchar con menos desventaja contra las armas de fuego, y donde el número lleva más probabilidades de vencer. Necesitamos arcabuces, pues no tenemos más de cuatro o cinco, y de ese modo podremos tomarlos de los españoles muertos.

Este plan, ejecutado con precisión y perseverancia, hubiera centuplicado el poder de los indios. Pero Bohórquez estaba lejos de ser un general que abarcara una situación compleja, e impulsado por las circunstancias aparentemente favorables y por la especie de demencia que se había apoderado de él, lanzóse sin reflexión a los hechos decisivos... Confiaba sobre todo en la falta de municiones en que creía a Mercado y Villacorta, y de lo que dio conocimiento a su gente en la arenga con que animó el ataque.

Los indios, dando absoluto crédito a la palabra de su jefe, llegaron aquella noche casi a tocar con el pecho las pircas de San Bernardo...

Así, a boca de jarro, comenzó el combate al amanecer. El padre Torreblanca, refugiado en la capilla, rezaba en voz alta oraciones latinas, entre los estampidos de los arcabuces. Una nube de flechas, partiendo del campo de los indios, caía dentro del recinto del fuerte, y hasta sobre la misma capilla; tan cerca estaban los tiradores, en cuyas filas hacía estragos el plomo español, sobre todo el de los arcabuces aguerridos que, desde las alturas y tras de sus adargas, disparaban de mampuesto, sin errar blanco.

Los soldados bisoños hacían fuego por aspilleras, resguardados tras de las pircas y aunque inexpertos, no fueron menos eficaces, pues —como dice un historiador— "echaban en los arcabuces más carga de la necesaria, y sufriéndola los cañones por ser muy reforzados, daban alcance más allá de los indios, y las balas llegaban donde estaba oculto y dando órdenes Bohórquez, quien se vio obligado a retirarse mucho para asegurar su persona".

Los indios no cejaban, lanzábanse a pelear por *mangas*, pero los españoles los mantenían a raya, después de haberlos hecho retroceder fuera del alcance de los arcabuces, y donde las flechas eran completamente ineficaces. Villacorta, viendo que los proyectiles no causaban daño a los defensores del parapeto, aumentó su número para hacer mayor el estrago en las filas enemigas, en las que cundía el desaliento, cuando una grave peripecia fue a infundirles nuevos bríos...

Estaba distribuyéndose pólvora de una botija y junto a la capilla en que se hallaba el padre Torreblanca, cuando una chispa del taco de un arcabuz incendió la pólvora que, explotando con terrible estampido, comunicó el fuego al techo de paja, e hizo que el jesuita se pusiera en salvo precipitadamente.

Al oír el estruendo, Bohórquez gritó a los suyos:

—¡Se les ha quemado la única pólvora que tenían! ¡Son nuestros! ¡Al asalto!

Los calchaquíes se lanzaron como fieras sobre las pircas, pero una terrible descarga sembró la muerte entre ellos, obligándolos a retroceder... Villacorta en persona, junto con sus ayudantes, distribuía municiones con toda diligencia... Los españoles hacían un fuego furioso. Los indios, pasada la primera confusión, volvieron a la carga como leones...

Uno de ellos trepó a la pirca, desafiando las balas y dando ejemplo y paso a los suyos. Ya estaba en lo alto, ya iba a penetrar en el recinto inexpugnable... Y entró en él, pero rodando con una bala en pleno corazón. Un mestizo que militaba con los españoles se precipitó sobre el cadáver y momentos después, cantando victoria y entre un coro de vítores de los suyos, exhibía a los indios, clavada en la punta de una pica, la sangrienta cabeza del héroe.

No tardaron en alzarse otras cabezas destilando sangre, como terribles trofeos e implacable amenaza. Ya sabían los indios que los españoles no daban cuartel, y el desaliento volvió a cundir con mayor intensidad entre ellos, tanto más cuanto que todo el heroico esfuerzo parecía resultar inútil: "tanta flecha —dice un historiador— habían arrojado, que en el campamento se hizo fuego con ellas para cebar mate", y sin embargo el número de los españoles y sus mortíferas descargas no parecían disminuir...

Pero lo que determinó el espanto de los indios fue el inopinado regreso de Sancho Gómez y los suyos, que se creían muertos y prisioneros. El soldado –poniendo en planta una estratagema que pudo costarle la vida, pero que dio a sus armas la victoria–, después de examinar la situación por medio de exploradores, deslizóse hasta el camino de Salta, y por él se precipitó con los suyos hacia el fuerte, a rienda suelta.

Los indios que vieron aquel pelotón de jinetes envueltos en un torbellino de polvo, no dudaron que se trataba de un grueso refuerzo español enviado de Salta, y consideraron segura su pérdida.

Bohórquez, presa de espanto, pues ya se veía pendiente de una horca, se dio a precipitada fuega sin ordenar siquiera la retirada.

A pesar de los esfuerzos, las órdenes, las súplicas de Luis Enríquez, que había combatido como un héroe, los calchaquíes recogieron apresuradamente sus muertos y heridos, dejando sólo ocho cadáveres en el sitio más batido por las balas, y se dispersaron ocultándose en el bosque y en las asperezas del terreno, tres horas después de comenzada la batalla. Los españoles no se atrevieron a seguirlos, e hicieron bien, pues en campo raso hubiera cambiado mucho el aspecto de las cosas. Sancho Gómez y sus diez jinetes entraron triunfantes en el fuerte, entre los vítores entusiastas de sus compañeros. El padre Torreblanca invitó al gobernador y a los soldados a rendir gracias al Altísimo y a la Virgen del Valle, pues era evidente que sólo un milagro había podido darles la victoria... Y como milagro, rodeado de maravillosas circunstancias, comenzó a narrarse ésta, poco después...

Los españoles tenían diez heridos de flecha, y uno o dos muertos, según dijeron más tarde. Uno de los heridos era el secretario del gobernador, don Juan de Ibarra Velázquez, y otro el soldado de a caballo Mateo de Frías, que más tarde llegó a capitán, lo mismo que Sancho Gómez.

Los fieles de la Virgen del Valle dicen que, cuando Bohórquez se hallaba en los campos de Pucará, al frente de los feroces calchaquíes que mandaba, los indios vieron la imagen de Nuestra Señora que, puesta delante de los pocos españoles, los defendía de los infieles ataques. La intervención de la Virgen, según la misma leyenda, hizo poner en fuga a los indios sublevados, que llegaban al número de 20.000. Agrega que el chasque enviado por los españoles a Tucumán, en demanda de refuerzos, fue atacado por los calchaquíes, que no pudieron hacerle daño ni impedirle el paso, porque la Virgen acudió personal y visiblemente a protegerlo, abriéndole paso.

Dice también que en aquella oportunidad un gallardo y hermoso joven, con preciosas vestiduras blancas, coleto, broquel y plumas en el sombrero, montado en brioso caballo blanco y empuñando una espada fulmínea, atropellaba con increíble agilidad y fuerza las hordas de infieles, sembrando en ellas la muerte y el espanto: era indiscutiblemente el Arcángel Gabriel, mandado por la santa Virgen del Valle. Así atacados, los indios de Bohórquez no tardaron en darse a la más vergonzosa fuga, siendo perseguidos por el puñado de españoles, cuya pérdida hubiese sido segura sin aquella intervención sobrenatural... Lástima que la mitología tenga tan poca inventiva y que se reproduzcan tanto y tan exactamente estos poemas religiosos, desde los primeros años de la historia...

Luis Enríquez, entretanto —ligeramente herido—, se había precipitado tras de Bohórquez, a quien alcanzó a una legua del lugar del combate, a tiempo que un grupo de calchaquíes, indignados y sedientos de venganza contra él, se preparaban a asesinarlo.

Enríquez tuvo que interponerse y hasta echarse a la cara el arcabuz, para salvarle la vida. Pero la señal estaba dada, el prestigio del Inca amenazado y vacilante, su existencia misma en peligro... Así lo insinuó el mestizo al charlatán, arrastrado por la elocuencia y la facundia a hechos para los que no estaba preparado.

—¡Hay que perseverar o morir! —dijo Enríquez sin embargo.

Cuando se reunieron con Carmen, que los aguardaba en un caserío de aquellas inmediaciones, la mestiza, instruida de la derrota y de la vergonzosa fuga de Bohórquez por algunos indios dispersos que se le habían adelantado, arrojóse en brazos de su amante.

—¡Pedro, Pedro! —exclamó—. ¡Vámonos de aquí! ¡No quiero grandezas que puedan costarte la vida!

Bohórquez se estremeció, pues así pensaba él también... Enríquez miró a la india y al andaluz con soberano desprecio.

—¡Ah! ¡Si yo fuera el falso Inca! —pensó—. Pero este *uritu*... (papagallo).

XIV

ENTRE DOS FUEGOS

Carmen curó la herida de Luis Enríquez con agua de *tusca* y otras hierbas medicinales, y los tres fueron a refugiarse en una de las muchas aldehuelas abandonadas que había entre las breñas, pues sabido es que no sólo se despoblaban los valles por la invasión de los españoles, sino que también los indios acostumbraban cambiar con cierta frecuencia sus habitaciones, por lo que es hoy tan difícil calcular el número exacto de los calchaquíes.

La aldea, o más bien, las ruinas de la aldea, estaba en una altura, edificada en redondo, con pirca de piedras sueltas, y cercada de cardones y árboles espinosos. Allí durmieron, al abrigo de cualquier sorpresa, lejos como se hallaban de todo camino transitable. Cuando despertaron, el sol estaba alto ya.

—¿Qué hacemos aquí? —preguntó Enríquez—. ¡Vamos en busca de nuestros hermanos!...

—Ve tú —replicó Bohórquez—, y envíame algunos guerreros leales, pero en quienes yo pueda confiar de veras, para que formen mi guardia y me sirvan de mensajeros si es preciso. Tengo que meditar lo que conviene hacer en estas circunstancias...

—¡Meditar, meditar! —refunfuñó el mestizo—. ¡Lo necesario es obrar!...

Sin embargo, se marchó, en parte para cumplir los encargos de Bohórquez, en parte —y la principal—, para ponerse en contacto con los indios, cuyo único general era ya, probablemente...

Bohórquez sentíase presa de horrible desaliento: su pobre cabeza de hablador y titiritero no podía abarcar el problema y hallarle una solución. Sólo pensaba en escapar: en escapar de los indios..., en escapar de los españoles.

Estaba entre dos fuegos: los calchaquíes, aunque dispersos y desmoralizados, lo matarían si lo encontraban en la inacción: los españoles, ansiosos de dar un terrible ejemplo, lo ahorcarían irremediablemente si llegaban a ponerle la mano encima. ¡Cuán lejos estaba el hábil embaucador que mareara y embriagara a Mercado y Villacorta con sus sueños de tesoros y conquistas! ¡Cuán lejos el elocuente jefe que prometía a los indios la victoria y la independencia! ¡Apenas si entre aquellas ruinas de un pasado que no renacería jamás, quedaba el miserable Pedro Clavijo, el sobrino del gitano bellaco que lo trajo a América, el ahijado del ventero de la Quinga, el saltimbanqui jugador de mano y fullero, cuyas andaluzadas lograron embaucar a otros, pero no enaltecerlo a él, ni darle corazón ni talento!...

—Yo creo —tartamudeó aquel guiñapo de hombre, dirigiéndose a Carmen, después de larga meditación—, yo creo... que lo mejor sería pedir indulto...

—Pídelo —contestó la mestiza, aterrada también por el porvenir que se desarrollaba ante sus ojos.

—Ve a pedirlo, yo te aguardo aquí.

—¿A quién? —dijo Carmen, siempre abnegada y sumisa, dispuesta a sacrificarse cuantas veces se lo pidiera su amante.

—Al gobernador Mercado... Él no te niega nada.

—¡Voy! —contestó la mestiza, poniéndose en pie, y envolviéndose en su manto.

—¡No! ¡Espera! ¿Piensas dejarme solo? —dijo aterrado Bohórquez, tan pusilánime cuanto altivo se mostrara en la grandeza.

Carmen se volvió a sentar, y así pasaron las horas en silencio.

Por fin llegaron varios indios a ponerse a las órdenes del Inca, y Carmen partió.

El cerebro de Bohórquez trabajaba sin descanso, aguijoneado por la zozobra. No pudo comer de las provisiones que le llevaron los indios, y a cada instante se asomaba por las pircas, como si Carmen pudiera regresar tan pronto, o como si temiese algún ataque de sus enemigos. Los indios, armados de flechas y hondas, cuchicheaban entre sí, mirando a su jefe: pero no era por hostilidad: se preguntaban, sencillamente, ¡qué gran plan estaría madurando el Hijo del Sol!...

Así pasó un día. Así pasaron dos... Al tercero apareció Carmen, demudada, rendida de fatiga.

—El gobernador no puede indultarte —dijo.

—¡Cómo! —exclamó Bohórquez aterrado.

—¡No puede! Dice que tiene órdenes formales y terribles del virrey para prenderte y enviarte a...

—¡Antes moriré peleando! —gritó aquel pusilánime con un resto postrero de energía.

—Pero —agregó la mestiza—, Mercado añade que puedes pedir ese indulto a las autoridades superiores, y que él...

—¿Y que él? ¡Acaba!

—Que él puede concederte una tregua, mientras llega ese indulto o su negativa, si te comprometes a que los indios permanezcan entretanto tranquilos.

El rostro de Bohórquez se iluminó. ¡Aquello era la salvación o poco menos! En seguida despachó un propio a Mercado y Villacorta aceptando todas su condiciones, bajo juramento, y otros a Chuquisaca y a Lima, solicitando su indulto, y diciendo que, una vez retirado él, no habría más guerra en Calchaquí...

Pero no contaba con Luis Enríquez. Éste había logrado reunir algunos restos dispersos de su ejército y se preparaba a continuar la guerra, con Bohórquez o sin él. Cuando supo —los indios lo sabían todo— los pasos que estaba dando el andaluz, precipitóse a su escondrijo.

—¡Se dice que has pedido el indulto! —exclamó encarándose indignado con el Titaquín.

—¡Es verdad! Ya te hice comunicar que estamos en tregua. He pedido indulto para mí, para ti, para nuestros soldados.

—¡Yo no necesito indulto! —gritó Luis—. Eres un traidor, y merecerías morir como un traidor... Pero no quiero matarte, por esta mujer que vale más que tú... En cuanto a la tregua... —agregó bajando la voz y con actitud todavía más amenazadora.

—¿Qué piensas hacer? —balbució Bohórquez aterrado.

—¡Ya lo verás! ¡Apróntate para las consecuencias!

—¡Luis! ¡Luis! ¡No me traiciones! —suplicó el andaluz.

—¡Y tú te atreves a hablar de traición! —dijo Enríquez sonriendo por rara excepción y como prueba de supremo desprecio.

Luego, dirigiéndose a Carmen:

—Adiós, Carmen —dijo—; ten valor, pues lo necesitarás —y desapareció más que se retiró entre los matorrales y los riscos.

No tardó Bohórquez en conocer el significado de aquella amenaza. De todas partes le llegaban noticias aterradoras: Enríquez, con cien guerreros valerosos, había bajado por Tafí a la frontera de Tucumán e invadido el fuerte que custodiaba el capitán Juan de Ceballos Morales, haciendo gran estrago. Los españoles atribuían a Bohórquez aquel golpe de mano.

Entretanto, un destacamento de quinientos hombres, que también se decía mandado por el andaluz, sitiaba el fuerte de Andalgalá, defendido por el capitán Nieva y Castilla, mientras en la campaña se mataba, se incendiaba, se asolaba todo, interceptando convoyes de víveres, chasques con instrucciones, destacamentos pequeños de soldados...

Enríquez se multiplicaba, parecía estar en todas partes, enardecer a todos, conflagrar la tierra —del uno al otro extremo—. La guerra, sin Bohórquez, resultaba más terrible aún, porque era dirigida por un corazón valiente, y por una cabeza más robusta aunque de menos brillo exterior.

En la frontera de Rioja, y alrededor del valle de Famatina, los indios comprometidos preparaban un terrible golpe de mano, esperando solamente para su ejecución la llegada de Enríquez.

Intentaban sorprender, tomar y saquear la ciudad de La Rioja, caer en seguida de improviso sobre Londres, casi desamparada en aquellos momentos, y enseñorearse del país... Bohórquez lo supo merced a la indiscreción de uno de los pocos indios que aún lo veneraban, y para captarse la benignidad de los españoles, hizo llegar sigilosamente la noticia al gobernador de Rioja, don Diego Herrera y Guzmán. Traición tras traición, en serie interminable.

Herrera obró con el vigor y la rapidez que las circunstancias exigían. Reunió a media noche cuantas fuerzas pudo, armando hasta ancianos y mancebos, salió de la ciudad a marchas forzadas, y dos horas después de amanecer, cayó como un rayo sobre el descuidado pueblo de

Anguinan, foco sin embargo de la insurrección, y tomando prisioneros a los caciques e indios, sin dejar a sus mujeres y sus tiernos hijos, los rodeó de soldados en un fuerte, resuelto a hacer matar a todos, sin dejar uno, a la primera amenaza de afuera o de adentro... Así se salvaron Rioja, Londres y Andalgalá...

Entretanto, el virrey del Perú, conde Alba de Lista, había escrito al gobernador Mercado y Villacorta un oficio comunicándole que en vista de la necesidad de pacificar los valles calchaquíes, el real consejo otorgaba indulto a Bohórquez y sus partidarios, con tal que el caudillo se retirara del teatro de la guerra y las autoridades españolas tuvieran la evidencia de que así lo hacía. El pliego era llevado por un oidor del Perú, en persona, e iba acompañado de una carta confidencial...

Por intermedio de Carmen, que iba a menudo a buscar noticias del indulto, el padre Torreblanca, en nombre del gobernador, se puso de acuerdo con Bohórquez para tener una secreta entrevista con él.

Terrible fue aquel momento para el andaluz. El indulto no se le otorgaba sino a cambio de su libertad, única garantía suficiente para los españoles de que no volvería a agitar el país, apaciguado en apariencia, después del golpe de mano de Anguinan.

—Tu encarcelamiento será momentáneo —dijo el persuasivo padre Torreblanca—; estarás en Salta, en buenas condiciones, hasta que se te pueda pasar al Perú, de donde seguramente se te embarcará para Europa. ¡Basta de aventuras tan terribles, hijo mío! ¡Sólo la Santa Virgen del Valle ha podido salvarte de la horca!...

Mucho se resistió Bohórquez, pero al fin tuvo que ceder, pues no veía otro camino de salvación: ponerse de nuevo al frente de los indios sería desafiar quizás las iras de éstos, y renunciar definitivamente al perdón de los españoles, que no le darían cuartel. Cuando dijo a Carmen que iba a entregarse, la mestiza se echó a llorar.

—¡El taita te engaña! —exclamó—. ¡Te llevan para matarte!... Pero yo te salvaré.

XV

CATÁSTROFES

Bohórquez, acompañado por Carmen, marchó a Salta, para entregarse al representante del virrey.

No se le trató mal en un principio, y hasta podía tener la ilusión de hallarse en libertad. Alucinado por esta aparente dulzura, no vaciló en acceder a un pedido complementario que se le hizo para lo total pacificación de Calchaquí. Y un día subió a un tablado que se había erigido en la plaza de Salta, y dirigiendo la palabra a caciques y curacas, de antemano convocados en gran número, los exhortó a que volvieran por siempre a la paz, y acatasen la soberanía del rey de León y Castilla, único y absoluto señor de estas Indias. Los curacas se retiraron cabizbajos, descontentos y recelosos...

Entretanto, los meses transcurrieron, Calchaquí no se pacificaba, y los rumores que llegaban a oídos de Bohórquez eran amenazadores y terribles... Sus compatriotas tenían la intención de darle muerte, y retardaban el momento sólo porque temían posibles complicaciones. La sentencia se cumpliría después de una decisiva expedición que estaba preparando el gobernador Mercado y Villacorta...

Carmen, y algunos indios adictos y españoles indiscretos, tenían al prisionero al corriente de cuanto se hacía y se pensaba. Por ellos supo que Mercado y Villacorta había recibido del Perú importantes socorros en armas, municiones y dinero, y que se ocupaba de formar dos poderosos tercios, el uno con las tropas de Santiago, Salta, Esteco y Jujuy, que mandaría personalmente, acompañado por el padre Torreblanca como capellán; el otro, compuesto por las tropas de La Rioja, Londres, Valle de Catamarca y Tucumán, que marcharía bajo las órdenes del ya entonces maestro de campo don Francisco de Nieva y Castilla.

El primer cuerpo constaría de mil doscientos a mil quinientos hombres, y numerosos caballos; el segundo alrededor de mil, incluyéndose en ambos los indios amigos.

El plan del gobernador, según llegó a oídos de Bohórquez, consistía en entrar simultáneamente por dos puntos al valle de Catamarca. Para esto, a principios de mayo y con sus tropas, saldría de Salta por la quebrada del Escoype, y marcharía hacia el sur. Nieva y Castilla, entretanto, saldría al propio tiempo de Londres, y entrando al valle por Jocavil, marcharía hacia el norte para unirse con él en el centro del valle, después de limpiar éste de indios.

Bohórquez comprendió inmediatamente que este plan debilitaba las formidables fuerzas españolas, y con el ingenio aguzado del preso que ansía su libertad, se dijo:

—Mi último recurso está en que triunfen los indios, aunque sea momentáneamente. Huir de aquí me es fácil, y si les doy la victoria me recibirán con los brazos abiertos, olvidarán lo pasado y volveré a ser Inca. Y, cuando lo sea... ¡ya veremos! Siempre hallaré cómo salvar el pellejo.

Consultó su idea con Carmen, y después de largo y detenido examen, ambos resolvieron comunicar lo que sabían a Luis Enríquez, y aconsejarle un plan de campaña que a juicio de ambos no podía fallar. Consistía sencillamente en que los indios dieran paso franco a Mercado y su ejército hasta Tolombón, donde necesariamente iría a acampar, y que se halla en medio del valle. Allí lo sitiarían, en el mayor número posible, y les quitarían el agua —cosa fácil, como había podido observarlo durante su permanencia en dicho pueblo. Entretanto, los calchaquíes de Jocavil, Anguinan, Acalian y todos los Quilmes, observarían la marcha del ejército de Nieva y Castilla, para caer sobre él por sorpresa en un lugar propicio, matando y arrojándolo todo. Desbaratado Nieva, correrían a incorporarse con los de Tolombón, y Mercado y Villacorta tendría que sucumbir dejando el país libre de españoles...

El plan no estaba mal urdido, como se ve, y más aún si se tiene en cuenta que Luis Enríquez podría mover unos cuantos miles de hombres, tan valientes como los heroicos Quilmes, cuyas hazañas están aún por ser escritas.

Pero los acontecimiento se precipitaron, la cárcel de Bohórquez se hizo más dura; ya no le permitían ver a otra persona que Carmen; el rostro hirsuto y torvo de los carceleros aumentó su hostilidad; ya los guardianes no iban a formar corro para escuchar los cuentos fantásticos, las anécdotas y los chascarrillos del andaluz; ya no se festejaban sus chistosas interpelaciones a los que pasaban cerca de él; ya no hacía gracia... Y Bohórquez sabía que, para un charlatán, no hacer gracia es estar en desgracia... Todo lo vio nublado, y se echó a temblar por su vida... Un día supo que Villacorta, al frente de su ejército, acababa de salir de Salta; anudósele la garganta y sintió un escalofrío, como si pasara la muerte. La osadía del plan que había trazado lo aterró...

Cuando llegó Carmen, esa tarde, llevándole un poco de comida, encontrólo pálido, desencajado, con los ojos casi fuera de las órbitas. Tenía la continua visión del cadalso... Hizo a su compañera confidente de sus temores, lloró como un niño, como niño la suplicó que lo salvara.

A la mañana siguiente Carmen fue a despedirse de Bohórquez y salió de Salta.

Sola y a pie siguió la rastrillada del ejército de Mercado y Villacorta...

XVI

LA MESTIZA

El gobernador hallábase la noche del 11 al 12 de junio departiendo con algunos de sus oficiales, en su tienda de campaña, junto a Chicoana de los Pulares, cuando un ayudante le anunció que una mujer, detenida en la línea del campamento, solicitaba hablarle inmediatamente.

—¿Es del pueblo? —preguntó.

—No es del pueblo. Parece india, pero no podría afirmarse. Dice que es criada del capitán don Melchor Díaz Zambrano, y que ha estado prisionera en poder de los calchaquíes.

Los oficiales se retiraron discretamente. Mercado quedó solo. Un momento después, entraba en la tienda una mujer envuelta en un manto.

—¡Carmen! —exclamó Mercado en cuanto se desembozó.

—¡Sí, soy yo! Vengo a revelar a vuecencia importantes secretos, si antes promete la vida y la libertad inmediata de Bohórquez.

—¿Tan importantes son? —preguntó con cierta sorna Mercado.

—Vuecencia juzgará al oírlos —replicó fríamente la mestiza.

—Empieza, pues.

—Antes quiero que vuecencia me dé su palabra...

—¿De que concederé la vida y la libertad a Bohórquez?

—Sí.

—Pues ya la tienes, si se trata de algo que me sea provechoso.

—¿Solemnemente empeñada?

—¡Sí!

Carmen, entonces, reveló a Mercado el plan de Bohórquez, agregando que podía hacerse fracasar con sólo precipitar la marcha.

—Otra traición, de *yapa* —agregó la mestiza con amargura—. ¡El cacique Pablo, que acompaña a vuecencia, es espía de los indios y viene para observar los movimientos del ejército y comunicarlos a Luis Enríquez!... En querer y en traicionar no hay más que empezar...

Carmen se marchó, el cacique don Pablo murió aquella misma noche, y, mucho antes de amanecer, el ejército tomaba a marcha forzada el camino de Tolombón, a cuyo pueblo entró tres días después, sin disparar un tiro...

No tenían la menor noticia del ejército de Nieva y Castilla; el enemigo, indudablemente, interceptaba los mensajes y mataba los chasques.

Mercado no se eternizó en Tolombón. Después de guarecerlo con un regular destacamento, en la madrugada del 15 marchó en dirección al pueblo de los Quilmes. Detúvose a pernoctar en Colalao.

Los indios, que seguían los movimientos del ejército, disimulándose entre los árboles y tras las asperezas del terreno, y cuyo grueso acampaba en aquellas inmediaciones, consideraron que el momento era propicio.

En número de dos mil, rodearon por todas partes a los españoles, llevándoles el más formidable ataque. Se peleó encarnizadamente hasta las cuatro de la tarde. Viéndose en inferioridad de condiciones, Mercado resolvió retroceder, pero con tan mala suerte, que casi da en una emboscada que se le había preparado a orillas del río, en previsión de ese movimiento.

El español no perdió la cabeza, sin embargo. Dejando que el grueso del ejército siguiera donde estaba, flanqueó rápidamente a los calchaquíes con la compañía de su guardia, y precipitándose a la retaguardia de los indios los tomó entre dos fuegos. La carnicería fue tan espantosa, que la sangre corrió hasta el río y el campo quedó sembrado de cadáveres calchaquíes con la cabeza separada del tronco... Los españoles estaban vengados de la sorpresa y del grave peligro que habían corrido...

Pocas horas después, en medio de la noche que cobijaba tranquila y silenciosa a los guerreros ebrios de sangre y ahítos de matanza, llegó al campamento el primer mensaje de Nieva y Castilla, llevado por un cacique de Colpes, llamado don Lorenzo.

Conducido inmediatamente a la presencia del gobernador, entrególe una carta de su jefe en la que éste le daba cuenta de varios combates sangrientos, especialmente de uno en que los heroicos calchaquíes habían llegado hasta la misma boca de los arcabuces españoles. En este encuentro, Nieva se vio arrollado por los indios, y hubiera perecido, si el joven Ignacio de Herrera no se hubiese lanzado en su auxilio, entusiasmando con su arrojo a muchos que lo siguieron. La derrota de los indios se produjo en seguida, y la matanza fue espantosa, pues no se dio cuartel y los españoles estaban convertidos en fieras.

La carta terminaba anunciando que al día siguiente se operaría la reunión del tercio de Londres con el de Salta, es decir, que los valles calchaquíes quedaban en poder de los españoles, salvo las ocho leguas dominadas por los heroicos Quilmes, y que durante varios años todavía, continuaron bajo el dominio de éstos...

Mercado y Villacorta apresuróse a comunicar tan faustas nuevas al padre Torreblanca.

—Y ahora —díjole en seguida—, ¿qué hacemos con Bohórquez?

—Enviarlo al Perú —contestó el jesuita sin vacilar.

—Es que he empeñado mi palabra de honor...

—¿Sobre qué?

—De devolverle inmediatamente la libertad...

El padre Torreblanca reflexionó un instante y luego, con angelical mansedumbre, dijo:

—Tu empeño no es válido, porque al hacerlo olvidabas que Bohórquez no está ya bajo tu jurisdicción, sino bajo la del virrey. No te preocupes, pues, hijo mío, y mándalo inmediatamente al Perú.

Villacorta quedó pasmado de admiración ante el ingenio del jesuita que así le alivianaba la conciencia...

Bohórquez, bajo segura custodia, fue llevado a Lima, en cuya cárcel se le cargó de cadenas. Allí pasó algunos años, soñando inútilmente en escapar. Condenósele a muerte, pero un resto de escrúpulo nacido del hecho de haberle indultado antes, hizo que se consultase a España, a la reina doña Mariana de Austria, regente en nombre de su hijo Carlos II. Su Majestad contestó sencillamente al virrey: "Os mando que obréis conforme a justicia y gobierno, lo que fuere de mi mejor servicio". Esto era simplemente poner el cúmplase a la sentencia de Chamijo. Diósele garrote, el cadáver fue exhibido en la plaza pública, colgado de una horca; luego se le cortó la cabeza y ésta fue clavada en el arco del puente que mira al barrio de San Lázaro...

Carmen, que había seguido a Bohórquez hasta Lima, cuando se convenció de que su amante no le sería restituido jamás, volvió sigilosa y penosísima a Londres, con el firme propósito de vengarse de Mercado. Para conseguirlo, envenenó un jarro de chicha, del que el gobernador comenzó a beber, abandonándolo por su extraño sabor. Perseguida y a punto de caer en manos de los españoles, precipitóse a un barranco, haciéndose pedazos contra las rocas...

En esto, como en muchas otras manifestaciones, imitó a las heroicas y salvajes calchaquíes que seguían a la guerra a sus maridos con los hijos atados a la espalda, y que, en caso de derrota, se lanzaban sin vacilar al abismo...

ÍNDICE

BIBLIOTECA CLÁSICA Y CONTEMPORÁNEA

Volúmenes publicados

Agustini, Delmira	*Poesías completas* (nº 368)
Alberti, Rafael	*Cal y canto. Sobre los ángeles. Sermones y moradas* (nº 75)
Alberti, Rafael	*Antología poética* (nº 92)
Alberti, Rafael	*Marinero en tierra* (nº 158)
Alberti, Rafael	*La amante* (nº 186)
Alberti, Rafael	*A la pintura* (nº 247)
Alberti, Rafael	*Entre el clavel y la espada* (nº 356)
Alegría, Ciro	*Los perros hambrientos* (nº 352)
Alegría, Ciro	*La serpiente de oro* (nº 353)
Aleixandre, Vicente	*La destrucción o el amor* (nº 260)
Aleixandre, Vicente	*Espadas como labios. Pasión de la tierra* (nº 266)
Aleixandre, Vicente	*Poemas amorosos. Antología* (nº 283)
Aleixandre, Vicente	*Sombra del Paraíso* (nº 324)
Alighieri, Dante	*De la monarquía* (nº 35)
Alonso, Amado	*Castellano, español, idioma nacional* (nº 101)
Alvarez Quintero, S. y J.	*Amores y amoríos. Los galeotes* (nº 25)
Amorim, Enrique	*El caballo y su sombra* (nº 120)
Amorim, Enrique	*La carreta* (nº 237)
Anónimo	*Amadís de Gaula* (nº 176)
Anónimo	*Doinas y baladas rumanas* (nº 188)
Anónimo	*Poema del Cid* (nº 170)
Anónimo	*Popol-Vuh* (nº 9)
Arguedas, Alcides	*Raza de bronce* (nº 156)
Arguedas, José María	*Todas las sangres, I y II* (nº 365 y nº 366)
Arguedas, José María	*Los ríos profundos* (nº 387)
Asturias, Miguel Ángel	*Leyendas de Guatemala* (nº 112)
Asturias, Miguel Ángel	*El alhajadito* (nº 317)
Asturias, Miguel Ángel	*El señor presidente* (nº 343)
Azorín	*La ruta de Don Quijote* (nº 13)
Azorín	*Clásicos y modernos* (nº 37)
Azorín	*Castilla* (nº 43)
Azorín	*Doña Inés* (nº 52)
Azorín	*Los pueblos* (nº 65)
Azorín	*Al margen de los clásicos* (nº 93)
Azorín	*Los valores literarios* (nº 145)
Azorín	*Valencia* (nº 223)
Azorín	*Libro de Levante* (nº 236)
Azorín	*Madrid* (nº 241)
Azorín	*Lope en silueta* (nº 295)
Barea, Arturo	***Lorca, el poeta y su pueblo*** (nº 267)

Baroja, Pío — *Zalacaín el aventurero* (nº 41)
Baroja, Pío — *El mundo es ansí* (nº 63)
Barrios, Eduardo — *El hermano asno* (nº 187)
Barrios, Eduardo — *El niño que enloqueció de amor* (nº 207)
Baudelaire, Charles — *Las flores del mal* (nº 214)
Bergamín, José — *La corteza de la letra* (nº 109)
Bergson, Henri — *La risa* (nº 55)
Bernárdez, Francisco Luis — *La ciudad sin Laura. El buque* (nº 202)
Bernárdez, Francisco Luis — *Himnos del Breviario Romano* (nº 243)
Brunet, Marta — *Montaña adentro. Bestia dañina. María Rosa, flor del Quillén* (nº 253)
Brunet, Marta — *Humo hacia el sur* (nº 333)
Buck, Pearl S. — *El patriota* (nº 22)
Cabral, Manuel del — *Antología clave (1930-1956)* (nº 273)
Calderón de la Barca, P. — *La vida es sueño. El alcalde de Zalamea. El mágico prodigioso* (nº 307)
Campanella — *La ciudad del sol* (nº 100)
Capdevila, Arturo — *Melpómene* (nº 11)
Capdevila, Arturo — *La Sulamita* (nº 54)
Capdevila, Arturo — *Babel y el castellano* (nº 68)
Capdevila, Arturo — *El libro de la noche* (nº 182)
Capdevila, Arturo — *Despeñaderos del habla* (nº 239)
Capdevila, Arturo — *El amor de Schaharazada. Zincalí* (nº 274)
Capdevila, Arturo — *Consultorio gramatical de urgencia* (nº 332)
Cárcano, Ramón J. — *Juan Facundo Quiroga* (nº 293)
Casona, Alejandro — *La molinera de Arcos. Sinfonía inacabada* (nº 71)
Casona, Alejandro — *La sirena varada. Las tres perfectas casadas. Entremés del mancebo que casó con mujer brava* (nº 73)
Casona, Alejandro — *Nuestra Natacha. Otra vez el diablo* (nº 114)
Casona, Alejandro — *Los árboles mueren de pie* (nº 191)
Casona, Alejandro — *La dama del alba. La barca sin pescador* (nº 199)
Celaya, Gabriel — *Poesía urgente* (nº 384)
Cervantes, Miguel de — *Novelas ejemplares, I y II* (nº 310 y nº 311)
Couffon, Claude — *Granada y García Lorca* (nº 326)
Couffon, Claude — *Orihuela y Miguel Hernández* (nº 334)
Creanga, Ion — *Cuentos y relatos escogidos* (nº 162)
Chéjov, Antón — *La gaviota. Las tres hermanas. El tío Vania* (nº 96)
Chesterton, G. K. — *El hombre que fue jueves* (nº 14)
Chesterton, G. K. — *El candor del padre Brown* (nº 38)
Darío, Rubén — *Antología poética* (nº 318)
Descartes — *Discurso del método* (nº 284)

Díaz Plaja, Guillermo	*Poesía junta* (nº 320)
Duncan, Isadora	*Mi vida* (nº 23)
Estrella Gutiérrez, F.	*Antología poética* (nº 50)
Esquilo	*Tragedias* (nº 171)
Flaubert, Gustave	*Madame Bovary* (nº 2)
Freud, Sigmund	*Moisés y la religión monoteísta* (nº 150)
Gálvez, Manuel	*La pampa y su pasión* (nº 56)
Gálvez, Manuel	*La maestra normal* (nº 62)
Gálvez, Manuel	*Los caminos de la muerte* (nº 159)
Gálvez, Manuel	*Humaitá* (nº 193)
Gálvez, Manuel	*Jornadas de agonía* (nº 213)
Ganivet, Ángel	*Cartas finlandesas* (nº 61)
García Jiménez, Francisco	*Así nacieron los tangos* (nº 306)
García Lorca, Federico	*Mariana Pineda* (nº 115)
García Lorca, Federico	*Romancero gitano* (nº 116)
García Lorca, Federico	*Doña Rosita la soltera* o *El lenguaje de las flores* (nº 113)
García Lorca, Federico	*Poema del cante jondo. Llanto por Ignacio Sánchez Mejías* (nº 125)
García Lorca, Federico	*Yerma* (nº 131)
García Lorca, Federico	*La zapatera prodigiosa* (nº 133)
García Lorca, Federico	*Bodas de sangre* (nº 141)
García Lorca, Federico	*Libro de poemas* (nº 149)
García Lorca, Federico	*Primeras canciones. Canciones. Seis poemas galegos* (nº 151)
García Lorca, Federico	*La casa de Bernarda Alba* (nº 153)
García Lorca, Federico	*Cinco farsas breves*, seguidas de *Así que pasen cinco años* (nº 251)
García Lorca, Federico	*Antología poética (1918-1936)* (nº 269)
Gerchunoff, Alberto	*La jofaina maravillosa (Agenda cervantina)* (nº 32)
Giusti, Roberto	*Poetas de América* (nº 262)
Goldoni, Carlo	*Pamela núbil. Mirandolina. La viuda astuta* (nº 363)
Gómez de la Serna, R.	*El Greco* (nº 69)
Gómez de la Serna, R.	*El doctor Inverosímil* (nº 83)
Gómez de la Serna, R.	*Azorín* (nº 95)
Gómez de la Serna, R.	*Seis falsas novelas* (nº 154)
Gómez de la Serna, R.	*Flor de greguerías* (nº 278)
Gómez de la Serna, R.	*Edgar Poe, el genio de América* (nº 248)
Grau, Jacinto	*Los tres locos del mundo. La señora guapa* (nº 26)
Grau, Jacinto	*Entre llamas. Conseja galante* (nº 206)
Guido, Beatriz	*Fin de fiesta* (nº 322)
Guido, Beatriz	*El incendio y las vísperas* (nº 327)
Guillén, Nicolás	*Sóngoro cosongo* (nº 235)
Guillén, Nicolás	*El son entero* (nº 240)
Guillén, Nicolás	*La paloma de vuelo popular. Elegías* (nº 281)

Jiménez, Juan Ramón	*Diario de poeta y mar* (nº 212)
Jiménez, Juan Ramón	*Piedra y cielo* (nº 209)
Jiménez, Juan Ramón	*Pastorales* (nº 219)
Jiménez, Juan Ramón	*Poemas májicos y dolientes* (nº 220)
Jiménez, Juan Ramón	*Sonetos espirituales* (nº 222)
Juan Manuel	*El Conde Lucanor* (nº 98)
Jung, C. G.	*Lo inconsciente* (nº 15)
Kafka, Franz	*La metamorfosis* (nº 118)
Kerouac, Jack	*En el camino* (nº 357)
Kerouac, Jack	*Los vagabundos del Dharma* (nº 358)
Khaiame, Omar	*Las rubaiatas* (nº 321)
Ladrón de Guevara, M.	*Gabriela Mistral, rebelde magnífica* (nº 165)
Lange, Norah	*Cuadernos de infancia* (nº 123)
Lawrence, D. H.	*El hombre que murió* (nº 298)
Lenormand, H. R.	*Los fracasados. La loca del cielo. La inocente* (nº 33)
Lenormand, H. R.	*El hombre y sus fantasmas. El devorador de sueños. El tiempo es un sueño* (nº 77)
León, Fray Luis de	*Poesías* (nº 245)
León, María Teresa	*Doña Jimena Díaz de Vivar* (nº 288)
León Felipe	*Antología rota* (nº 16)
Levinson, Luisa M.	*La pálida rosa de Soho* (nº 337)
Lope de Vega	*Fuenteovejuna. Peribáñez y el comendador de Ocaña. El mejor alcalde, el rey* (nº 315)
Machado, Antonio	*Juan de Mairena* (nº 17 y nº 18)
Machado, Antonio	*Poesías* (nº 19)
Machado, Antonio	*Abel Martín y prosas varias* (nº 20)
Machado, Antonio	*Los complementarios y otras prosas póstumas* (nº 47)
Maeterlinck, Maurice	*La vida de las abejas* (nº 4)
Maeterlinck, Maurice	*El pájaro azul. Interior* (nº 29)
Maiacovski	*Antología poética* (nº 361)
Mallea, Eduardo	*Fiesta en noviembre* (nº 89)
Mallea, Eduardo	*El sayal y la púrpura* (nº 198)
Mallea, Eduardo	*La razón humana* (nº 291)
Mallea, Eduardo	*Chaves* (nº 339)
Mann, Thomas	*Cervantes, Goethe, Freud* (nº 135)
Mansfield, Katherine	*En la bahía* (nº 111)
Maurois, François	*Los caminos del mar* (nº 6)
Miró, Gabriel	*La novela de mi amigo. Nómada* (nº 91)
Miró, Gabriel	*Del vivir. Corpus y otros cuentos* (nº 78)
Miró, Gabriel	*Dentro del cercado. La palma rota. Los pies y los zapatos de Enriqueta* (nº 106)
Miró, Gabriel	*El abuelo del rey* (nº 244)
Miró, Gabriel	*Libro de Sigüenza* (nº 246)
Miró, Gabriel	*Niño y grande* (nº 249)

Miró, Gabriel	*El humo dormido* (nº 256)
Miró, Gabriel	*El ángel, el molino, el caracol del faro* (nº 265)
Miró, Gabriel	*Nuestro padre San Daniel* (nº 268)
Miró, Gabriel	*El obispo leproso* (nº 272)
Miró, Gabriel	*Años y leguas* (nº 276)
Miró, Gabriel	*Figuras de la Pasión del Señor* (nº 282)
Miró, Gabriel	*Figuras de Bethlem* (nº 300)
Mistral, Gabriela	*Tala* (nº 184)
Mondolfo, Rodolfo	*Breve historia del pensamiento antiguo* (nº 143)
Monner Sans, José María	*Pirandello y su teatro* (nº 194)
Moravia, Alberto	*El desprecio* (nº 325)
Moravia, Alberto	*La romana* (nº 328)
Moravia, Alberto	*La noche de Don Juan* (nº 351)
Neruda, Pablo	*Veinte poemas de amor y una canción desesperada* (nº 28)
Neruda, Pablo	*Canto general,* I y II (nº 86 y nº 87)
Neruda, Pablo	*Nuevas odas elementales* (nº 230)
Neruda, Pablo	*Los versos del capitán* (nº 250)
Neruda, Pablo	*El habitante y su esperanza. El hondero entusiasta. Tentativa del hombre infinito. Anillos* (nº 271)
Neruda, Pablo	*Residencia en la tierra* (nº 275)
Neruda, Pablo	*Tercera residencia* (nº 277)
Neruda, Pablo	*Odas elementales* (nº 280)
Neruda, Pablo	*Crepusculario* (nº 297)
Neruda, Pablo	*Cien sonetos de amor* (nº 305)
Neruda, Pablo	*Estravagario* (nº 355)
Neruda, Pablo	*Plenos poderes* (nº 371)
Neruda, Pablo	*La barcarola* (nº 372)
Neruda, Pablo	*Antología esencial* (nº 373)
Neruda, Pablo	*Las manos del día* (nº 374)
Neruda, Pablo	*Navegaciones y regresos* (nº 375)
Neruda, Pablo	*Las piedras del cielo* (nº 376)
Neruda, Pablo	*Todo el amor* (nº 377)
Neruda, Pablo	*Tercer libro de las odas* (nº 378)
Neruda, Pablo	*La espada encendida* (nº 379)
Neruda, Pablo	*Memorial de Isla Negra* (nº 381)
Neruda, Pablo	*Fin de mundo* (nº 382)
Oribe, Emilio	*Rodó. Estudio crítico y antología* (nº 369)
Otero, Blas de	*Ángel fieramente humano. Redoble de conciencia* (nº 287)
Otero, Blas de	*Con la inmensa mayoría* (nº 289)
Palacio Valdés, Armando	*La novela de un novelista* (nº 45)
Pascal	*Pensamientos* (nº 161)
Payró, Roberto J.	*El Mar Dulce* (nº 27)
Payró, Roberto J.	*Pago Chico y Nuevos Cuentos de Pago Chico* (nº 36)

Payró, Roberto J.	*El casamiento de Laucha. Chamijo. El falso inca* (nº 74)
Payró, Roberto J.	*Divertidas aventuras del nieto de Juan Moreira* (nº 60)
Paz Andrade, Valentín	*La anunciación de Valle-Inclán* (nº 331)
Pereda, José M. de	*Peñas arriba* (nº 34)
Pérez de Ayala, Ramón	*Prometeo. Luz de domingo. La caída de los Limones* (nº 40)
Pérez de Ayala, Ramón	*Belarmino y Apolonio* (nº 48)
Pérez de Ayala, Ramón	*Luna de miel, luna de hiel* (nº 79)
Pérez de Ayala, Ramón	*Los trabajos de Urbano y Simona* (nº 80)
Pérez de Ayala, Ramón	*El ombligo del mundo* (nº 85)
Pérez de Ayala, Ramón	*La revolución sentimental* (nº 90)
Pérez Galdós, Benito	*Marianela* (nº 359)
Picón Salas, Mariano	*Viaje al amanecer* (nº 216)
Pirandello, Luigi	*Cada cual a su juego. La vida que te di* (nº 136)
Prados, Emilio	*Antología poética* (1922-1953) (nº 257)
Prados, Emilio	*Jardín cerrado* (nº 294)
Quiroga, Horacio	*El salvaje* (nº 178)
Quiroga, Horacio	*Pasado amor* (nº 183)
Quiroga, Horacio	*Anaconda* (nº 227)
Quiroga, Horacio	*Cuentos de amor de locura y de muerte* (nº 252)
Quiroga, Horacio	*Cuentos de la selva* (nº 255)
Quiroga, Horacio	*El más allá* (nº 258)
Quiroga, Horacio	*El desierto* (nº 261)
Quiroga, Horacio	*Los desterrados* (nº 263)
Reyes, Alfonso	*La experiencia literaria* (nº 229)
Ridruejo, Dionisio	*122 poemas* (nº 319)
Rilke, Rainer María	*Los cuadernos de Malte Laurids Brigge* (nº 104)
Rivera, José Eustasio	*La vorágine* (nº 94)
Roa Bastos, Augusto	*Hijo de hombre* (nº 329)
Rochefort, Christiane	*Céline y el matrimonio* (nº 330)
Rochefort, Christiane	*El reposo del guerrero* (nº 367)
Rojas, Fernando de	*La Celestina* (nº 102)
Rojas, Manuel	*El hombre de la rosa* (nº 169)
Rojas, Ricardo	*Blasón de plata* (nº 81)
Rolland, Romain	*Vida de Beethoven* (nº 155)
Romero, Elvio	*Miguel Hernández, destino y poesía* (nº 279)
Romero, Elvio	*Antología poética* (nº 157)
Romero, Elvio	*Los innombrables* (nº 360)
Romero, Francisco	*Filosofía de la persona* (nº 124)
Romero, Francisco	*Filósofos y problemas* (nº 197)
Romero, Francisco	*Ideas y figuras* (nº 224)
Romero, Francisco	*Ortega y Gasset y el problema de la jefatura espiritual* (nº 290)